JN013977

〝思いやり〟をそっと言葉にする本

「話したいこと」をうまく伝える方法

次世代コミュ力研究会［編］

Feeling consideration for others creates good relationships

青春出版社

はじめに

「思いやりのある言葉をかけよう」と言われても、どこか気恥ずかしいような、おしつけがましいような気がしてしまう、という人が少なくないでしょう。

わざわざ言葉で伝えなくても、気持ちがあれば通じ合えると感じている方もいるかもしれません。

そういう方に、ぜひ手にとっていただきたいのがこの本です。大げさで、歯の浮くような言葉ではなく、さりげない一言で、その場がポッと明るく、あたたかくなる――そんな言葉の力を実感していただくことができると思います。

ここで、改めて「思いやり」を言葉にするということについて考えておきましょう。ポイントは二つ。一つは、むろん「いい人」「やさしい人」であることで、人間関係をよくすることです。そして、もう一つは、言いたいことをうまく言えるようになることです。

この世の中、言いたいことを口にすると、人から嫌われないかと、我慢している人は少なくないでしょう。でも、相手のことを考えた伝え方を身につければ、人から嫌われずに、自分の思うところを話せるようになります。「思いやりのある言葉」は、人に嫌われることなく、言いたいことを言う技術でもあるのです。

たとえば、人に注意するときでも、下手な言い方をすると、たちまち人間関係にひびが入りかねませんが、うまく注意すれば、かえって好感を持たれることもあるのです。例をあげると、人前で、親子ゲンカを始めた人がいたとしましょう。その口ゲンカを止めるとき、たとえば、

×人前でみっともないので、ケンカはやめて

のように制止すると、両者を感情的にさせて、火に油を注ぐことになりかねません。そんなとき、

○親子で口論するなんて、仲がいいんですね

と言えばどうでしょうか。そして、「うらやましい限りです」とでも付け加えれば、両者はバツが悪くなって、苦笑を浮かべざるをえないのではないでしょうか。むろん、口論はぴたりと止まるはずです。

あるいは、今は話せないことについて、相手から尋ねられたとき、

×そのうち、お話ししますよ

のように応じると、勿体をつけた嫌みな返答に聞こえます。一方、次のようにいうとどうでしょう。

○話せるときがきたら、真先にお話ししますよ

このように、「真先」という言葉を使って応じると、実質的にはゼロ回答でありながら、相手を最優先する気持ちを伝えることができるのです。

むろんのこと、こうした言い方は、人間関係をよくするためにも、大いに役立ちます。人を励まし、ねぎらい、あるいは、謝罪を受け入れるときにも、相手の心に刺さる言葉があります。日々の挨拶や社交辞令にも、「いい人だな」と思わせるフレーズがあります。たとえば、単に「ありがとう」というよりも、「いつもありがとう」というだけで、相手の日々の仕事ぶりに目を配っていることをさりげなく表すことができるものです。こうした言葉を心得ているかどうかで、人間関係、ひいては人生は大きく変わってきます。

そこで、本書では、大人なら身につけておきたい思いやりを言葉にする方法を紹介します。相手本書掲載のフレーズは、相手の気持ちを癒すとともに、あなた自身の気持ちも癒します。相手にやさしい声をかければ、やさしい言葉が返ってきます。やさしいモノの言い方は、相手だけでなく、自分にもやさしい言葉なのです。

というわけで、本書で紹介したフレーズを、職場や学校、家庭など、いろいろな場所で、お役立てください。人にやさしい言葉をかければ、あなたの人生が大きく変わりはじめること、間違いないはずです。

２０２４年４月

次世代コミュ力研究会

〝思いやり〟をそっと言葉にする本●目次

Step 3

他人を励ますことができる人になるために

目次

Step 5

結局、人間関係は〝思いやり〟でできている …… 175

DTP■フジマックオフィス

特集1 やわらかい言葉に言い換えられますか〈基本編〉

1 命令形を使わないやさしい言い方

×ケンカはやめて

↓

○親子で口論するなんて、仲がいいんですね

人は、日々の言葉の選択によって、「やさしい人」とも「怖い人」とも思われるもの。まずは、やさしい言葉に言い換えるコツとその代表的なフレーズを紹介していきましょう。最初のコツは「命令形を避ける」ことです。

たとえば、人前で親子ゲンカを始めた人がいます。それを止めるとき、「人前でみっともない！　ケンカはやめて」などと〝命令〟すると、火に油を注ぐことになりかねません。

一方、「親子で口論するなんて、仲がいいんですね」を使って、「親子で口論するなんて、仲がいいんですね。うらやましい限りです」のように言えば、その親子は苦笑いして、口論を止めざるをえないでしょう。

×掃除してよ

↓

○私は洗濯をするので、掃除をしてくれる？

人に何かをしてもらいたいときには、一方的な命令にならないように注意したいもの。たとえば、掃除してほしいときは、×のような命令形を避け、○のように言えば、相手は多少は億劫に思っても、不愉快には感じないでしょう。こういう小さな言葉の選択が、「やさしい人」と思われることにつながっていきます。

また、「どうして、掃除をしてくれないのよ」のような詰問型の言葉も避けたいものです。

×ちゃんと報告してくれよ
↓
○どうしたら、次は報告できるようになるかな

部下などが報告を怠りがちなとき、×のように注意しても、事態はさほど改善しないでしょう。一方、○のように言えば、やさしく聞こえるうえ、相手に前向きに考えさせることができます。さらに、「心理的安全性」を確保し、チームワークがよくなり、後々、業績の改善にもつながっていくはずです。なお、心理的安全性は、近年注目されている組織工学のキーワードで、発言しやすい安心感のある状態を指します。

×きちんと話してください
↓
○きちんと話してくれないと、力になれないでしょ

これも、報告・連絡・相談を怠りがちな部下に対して、注意をうながすフレーズ。「相談してくれないと、力を貸すこともできないでしょ」という言い方も効果的です。

×こうするべきですよ
↓
○こうしたほうがいいですよ

「べき」を使うと、「半命令形」のようにも独善的にも聞こえ、反発を買いやすいもの。一方、○や「こうしたほうがうまくいきますよ」「こうしてくださいね」などのソフトな表現に言い換えると、「○○するべき」と「半命令」するよりも、結果的に当方の思う方向に誘導できるものです。

2 「暗い言葉」を明るく言い換える

×地味だと思いますよ
↓
○もっと明るい色のほうが、お似合いだと思いますよ

ネガティブな言葉よりも、ポジティブな言葉を使ったほうが、明るい人、やさしい人という印象につながります。

たとえば、服装に関する感想を求められたとき、同じ意味でも、×のように「地味」というネガティブな形容を使って答えるよりも、〇のように「明るい色」「似合う」といったポジティブな言葉を使って答えたほうがベター。×のように答えると、相手は否定されたように感じますが、〇のように答えると、相手は評価されたように感じて、こちらに好感を抱きやすくなります。

×日程のご都合が悪ければ

↓

〇他の日程のほうがよろしければ

×と〇では、日程調整に関して、同じ意味のことを言っているわけですが、なるべくなら〇のようにいったほうがいいでしょう。「悪ければ」を「よろしければ」に変えるだけのことですが、このようなポジティブな言葉の積み重ねが、あなたに対する好感を育てていきます。

×もうダメですね

↓

○まだまだ大丈夫ですよ

事態が悪化して、×のようなネガティブな表現を使いたいときでも、とりあえず○のように言っておくのが得策。周囲を元気づけられるうえ、自分自身も元気が湧いてくるものです。

3 上から目線の言葉は使わない

×注意します
↓
○お声をかけさせていただきます

「やさしい人」と思われるためには、「上から目線」の言葉も避けたいもの。たとえば、ルール違反を防ぐため、「○○は見つけしだい、注意します」とアナウンスすると、それを聞いた人はどう感じるでしょう？　聞いた人は、すでに注意されたような、不快な気分になるはずです。一方、○のように婉曲に表せば、聞いた人を不快な気分にすることなく、注意を喚起することができます。

×よかったら差し上げます
←
○もらっていただけると、助かります

人にものをプレゼントするとき、×は上から目線のもの言い。一方、○のように、「もらっていただけると助かる」と言えば、相手は「そうおっしゃるのなら」と受け取りやすくなります。他に「これ、あげますよ」は×。「これ、使っていただけませんか」といえば、好感を抱かせながら受け取ってもらうことができます。

×そこまで、ご案内しましょう
←
○そこまで、ご一緒しましょう

人を「案内する」とき、×のように言うと、やや恩着せがましく聞こえます。一方、○のように言えば、そうしたニュアンスを消すことができます。たとえば、「私も近くまで行きますので、途中までご一緒しましょう」のように言えば、相手はすんなりと「では、案内してもらおうか」という気持ちになりやすいもの。

×今後のために申し上げます
←
○参考までに申し上げます

発言のまえ、×のように前置きすると、「自分だけが先々のことを考えている」ような、上から目線の言葉に聞こえます。安易に使うのは、避けたほうがいいでしょう。一方、○や「念のため、申し上げます」は、そうした嫌みを感じさせることなく、前置きに使えるフレーズです。

4 相手を小馬鹿にするもの言いはNG

×ご存じないと思いますが
←
○ご存じと思いますが

×は、相手の「無知」を前提とする失礼な言葉。相手を不愉快にさせかねません。一方、○は、相手が知っていることを前提としているので、失礼にはなりません。相手は、知らないときには、「いいえ、初耳です」としぜんに応じてくれるでしょう。他に、「ご承知とは存じますが」や「あまり知られていないのですが」という言い方も○と同様に使えます。

×おわかりいただけたでしょうか

↓

○ご不明な点があれば、なんなりとお問い合わせください

「わかる」は、大人の会話では、自分を主語にして使う言葉。「わかりましたか」などと、相手を主語にすると、相手の知能レベルを問う失礼な言葉になってしまいます。同様に、「ご理解いただけましたでしょうか」もNG。相手が理解しているかどうか怪しいときは、○のように言っておくのが、大人のもの言いです。

×要するに、何が言いたいの?

↓

○一番言いたいことは何?

「要するに」も、自分の発言に関して使う言葉。×のように、相手の発言に関して使うと、「まとまりがない話」「とりとめがない話」と難じることになってしまいます。

×結局、こういうことですね
←
○こういう理解でよろしいんでしょうか？
「結局」や「つまり」も、相手の発言に関して使うと、失礼になる言葉。前項の「要するに」と同様、「とりとめがない話」と難じるニュアンスが生じてしまいます。

5 不愉快な言葉を使わずに、言うことはきちんと言う

×A案のほうがマシかな
←
○A案がいいね
「マシ」は、「よりよい」というポジティブな形容ではなく、「悪いほうではない」という〝準

ネガティブ〞な言葉。「いい」に言い換えたほうが、相手の耳に快く届きます。

たとえば、二つの案から、「いいと思う案を選んでほしい」と言われたときには、×のように「マシ」と言うよりも、〇のように「いい」を使ったほうが、積極的に良案を選んだという意味になります。

×それで、いいんじゃないの

↓

〇それで、いいと思うよ

仕事の成果を評するとき、×のように言うと、「まあまあの出来」「ぎりぎり及第点」というように聞こえます。こんな気のない返事をすると、相手は張り合いを感じないでしょう。一方、〇のように言えば、平均点は超えた仕事と評価しているように聞こえ、相手のモチベーションを下げることはありません。

×それ、知ってる

↓

○私も、最近、知ったんだけど

相手の話に対して、×のように言うのは失礼。「誰でも知っている話」や「陳腐」と言うのと同じことになってしまいます。同様に、「知ってる、知ってる」や「その話、前にも聞いたよ」もNG。相手の話に対しては、たとえ知っていても、素知らぬ顔で聞くか、知っていると話すにしても、○のように言うのが大人のもの言い。

×口で言うのは簡単だよね
↓
○それを実現するには、どうすればいいんだろう？

相手の意見に対して、「口で言うのは簡単だよね」はケンカ腰の切り返し。場の雰囲気を悪くすることでしょう。同じ切り返すにしても、○のような言葉を選びたいもの。多くの場合、相手は実現可能なプログラムや対案までは用意していないので、○のように問えば、相手は口ごもるはず。むろん、相手が対案を用意していれば、その後、より建設的な議論に発展するはずです。

×やればできるじゃないか
↓
○いざというとき、頼りになるね

×は、「ふだんはできない」「日頃は頼りない」という意味を含むフレーズ。一方、○のように言えば、相手の底力を評価する言葉になります。他に「土壇場に強いね」や「修羅場に強いね」も、同様の場面で使えるセリフです。

×そのうち、お話ししますよ
↓
○話せるときがきたら、真先にお話ししますよ

今は話せないことについて、相手から尋ねられたとき、×のように応じると、勿体をつけた嫌みな返答に聞こえます。「そのうち、わかりますよ」も、同じように聞こえます。

一方、「真先」という言葉を使って、○のように応じると、相手を最優先する気持ちを伝えられます。「いずれ、はっきりしましたら、真先にお話ししますよ」など。

×今まで言わなかったけれど
←
○ようやく話せるようになったのだけれど

×は、人に注意するときには、使わないほうがいいセリフ。「今まで言わなかったけれど、それが君の欠点だと思うよ」のように言うと、「なぜ今まで言わなかったんだ」と、ますます反発を買いやすくなるでしょう。一方、この前置きを使っていいのは、自分のことを話すとき。「今まで言わなかったけれど、今度、転職するんだ」のように。それでも「水くさい」と思われることもあるので、○を使うとさらにいいでしょう。

×私からも連絡しようと思っていたところで
←
○連絡してくれてありがとう

久々に連絡をくれた人に対して、×のように言うのは見え見えの社交辞令。「そう思っているなら、連絡くれよ」と思われかねません。懐かしい人からの連絡に対しては、○のように、ストレートに感謝の言葉を述べたほうが好感度は高くなるはずです。

×私に相談されましても

↓

○そちらでお決めいただいて結構です

自分の手に余る話や、関わりたくないような相談を持ちかけられたときでも、×のように応じると、冷淡にも責任回避しているように聞こえます。そんなときは、○のように言うのが、大人のうまい言い方。謙虚に聞こえるうえ、責任を回避することができます。また、「みなさんのご決定におまかせします」という言い方もあります。

×ちゃんとやっています

↓

○予定どおり進んでいます

相手から進行状況をしつこく尋ねられたとき、多少うっとうしく感じても、ぶっきらぼうに応じるのはＮＧ。「余計なお世話です。放っておいてください」という気持ちが伝わってしまいます。そんなときは、○のように答えるのが得策。「予定どおり進んでいますので、ご心配なく」や「予定どおり進んでいますので、おまかせください」というように使えます。

6 冷たく響く言葉を、温もりのある言葉に

×そんなこと、大した話ではないよ
↓
○そんな思いをしたんだね

相手の苦労話などに対して、×のように言うのは、冷淡なもの言い。「大した話ではない」と内心思うときでも、○のようにニュートラルな言葉で応じておけば、少なくとも冷たい人とは思われません。

×やっぱりダメだったね
↓
○がんばったけど、惜しかったね

×は、相手の能力を低くみる禁句。一方、○のように言えば、結果だけでなく、相手の努力

や仕事ぶりなどのプロセスを見て、評価していたことを表せます。

×いいですよ
↓
○ちょうど暇を持て余していたところで

「ちょっと手伝っていただけますか」と頼まれたとき、単に「いいですよ」と応じると、言い方によっては、億劫がっているようにも聞こえます。そこで、「いいですよ」のあとに○を付け加えると、ユーモアをまじえながら、快く引き受けることができます。

7 この一言で相手の受け止めは180度変わる

×昭和生まれですか
↓
○平成生まれですか

○の「平成生まれですか」は、明らかに昭和生まれの人に対して使う言葉。今で言えば、40

代の人に対して使うと、相手を「若く見える」「若々しい」と持ち上げることができます。ただし、50代以上の人に対して使うのは、さすがにやり過ぎ。「また、またあ」と、見え見えのヨイショと受け止められることでしょう。

×これ、お薦めです
←
○私のお気に入りなんです

人にものを薦めるとき、×のように言うと、押しつけがましくも聞こえるもの。一方、直接的な推薦の言葉を使わず、○のように事実だけを述べたほうが、相手の関心を誘うフレーズになります。「このスイーツ、私のお気に入りなんです」というように。

×スピーチしていただけませんか
←
○お言葉をいただけませんか

人に物事を頼むときに、丁重な言い方を心得ておきたいもの。その点、×は、相手への敬意を含まない頼み方。○のように、「お言葉」と相手の言葉に「お」をつけ、「いただく」という謙譲表現を使うと、敬意を表せます。さらに目上に対しては、「お言葉をいただければ光栄に存じます」と言えば、相手は「喜んで」と応じやすくなるはず。

×私のこと、覚えていますか
↓
○しばらく前、お目にかかった○○です

久しぶりに会った人に対して、×のような記憶力を試すような質問は失礼。覚えていない相手は返答に困ることでしょう。一方、○を使って「先日、お目にかかった○○です。ごぶさたしております」と、改めて名乗れば、再会の社交辞令をにこやかに交わし合うことができます。

×おいしかったです
↓
○充実した昼休みを過ごせました

ランチをご馳走になったとき、×はごくありきたりの言葉であり、相手を満足させることはできないでしょう。一方、○を使って、「ありがとうございました。充実した昼休みを過ごせました」と言えば、おごってくれた相手を気分よくさせられるはず。

×○○をお探しですか

←

○たくさんあって悩みますよね

商品を選んでいるお客に声をかけるとき、×のように話しかけても、常套句過ぎてお客の心を開かせることはできません。一方、○のように声をかければ、その瞬間、「話しやすそうな店員さんだな」と思われ、お客のほうから相談してくれるかもしれません。むろん、そのほうが、売り上げは確実に伸びます。

×犬

←

○ワンちゃん

猫や犬を飼っている人には、ペットは「家族」も同然。相手の家族を呼び捨てにしないように、ペットも呼び捨てにしないのが、言葉のマナーです。「犬」ではなく、「ワンちゃん」、猫の場合は「猫ちゃん」、名前を聞いているときには「ちゃん付け」にするのが、ペットに対する〝丁寧語〟です。

Step 1

"思いやり"がある人の言葉の選び方

How to effectively convey what you want to say

1 いい人間関係は、言葉からはじまる……挨拶・訪問

挨拶をもっと明るく言い換える

×暑くて、まいりますね

↓

○夏らしくて、いいですね

ふだんよく使う「天気をめぐる挨拶」も、うまく言い換えれば、「やさしい人」と思わせる言葉になります。たとえば、夏の暑い時期でも、○のようにポジティブな表現を使うと、明るく挨拶できます。

他に、「夏は、やっぱり暑くなくてはね」や「暑いので、ビールが美味しいですね」

なども、夏場の明るい挨拶。毎日、明るく挨拶するだけで印象は変わります。

×うんざりですね、毎日降って

↓

○緑が鮮やかできれいですね

雨が続いているときも、○のように言えば、明るくすることができます。他に、「いいおしめりですね」「作物にとっては、恵みの雨ですね」なども、雨をめぐる定番の明るい挨拶です。

×今日は風が冷たいですね

↓

○もう、すっかり秋の風ですね

これは、秋めいて、風が冷たくなりはじめた時期の挨拶。×のように、その冷たさを忌む言葉よりも、○のような秋の訪れを歓迎する気持ちが混じった言葉のほうが、明るく聞こえます。

×寒くて、嫌ですね

↓

○冬らしくて、いいですね

寒い季節は、×のようなネガティブな言葉が口を突いて出やすいものですが、○のような前向きなフレーズを使ったほうが、明るく挨拶できます。他に、「冬景色は、冬しか見られませんからね」「冬はおしゃれができるから、けっこう好きで」なども、冬によく使われる時候のポジティブフレーズです。

出会いと別れの言葉こそ親しみやすく

△おはよう

↓

○おはよう。昨日は遅くまでお疲れさま

朝、出会った相手が昨夜遅くまで仕事をしていたことを知っているときには、○のように声をかけたいもの。たとえば、上司が部下にこう声をかければ、部下は「遅くまで残業したことをちゃんと知ってくれている」と励みになるもの。「昨日は遅くまでお疲れさま。終電、間に合いましたか」などと使います。

×もうお出かけですか

↓

○お早いですね

×のように言うと、朝早くから出かけることを不審視するようなニュアンスが含まれてしまいます。一方、○は早くから出勤したり、働いている人へ対する朝の定番の挨拶。相手の精勤ぶりをほめるニュアンスを込められます。

△いらっしゃいませ

↓

○ようこそお越しくださいました

○のように言うと、△のような決まり文句よりも、さらに、訪問客を丁重に出迎えている気持ちを表せます。「お足元の悪いなか、ようこそお越しくださいました」のように使います。

×何もございませんが

○何もございませんが、くつろいでくださいね

×は、謙遜しながら、もてなしの気持ちを表す定型句。それに「くつろいでくださいね」を足すと、相手をもてなす気持ちをよりやさしく伝えられます。「何もないところですが、くつろいでくださいね」や「辺鄙（へんぴ）なところですが、くつろいでくださいね」のようにも使います。

×次の用事がありまして

○お時間、大丈夫ですか？

次の約束の時間が迫り、相手との話を切り上げたいとき、正直に×のように言うと、相手をせきたててしまいます。一方、○は、相手の都合を気づかうかたちで、相手との話を切り上げるためのセリフ。相手も大人なら、こちらの意図を察して、「あっ、もうこんな時間ですか。では、そろそろ」と腰を上げるものです。

×お話、面白かったです

↓

○今日は貴重なお話を聞かせていただきました

○は、目上の人から、おもに「昔話」を聞いたときの社交辞令。相手の経験談などを「面白い」と評するのは、やや上から目線。「貴重なお話」ととらえることで、十分な敬意を伝えられます。

×ごぶさたしています

↓

○ごぶさたしています。いつまでも、お変わりありませんね

「ごぶさたしています」はよく使われますが、それに「いつまでもお変わりありませんね」を加えると、年輩の人に対するやさしい挨拶になります。相手が以前と変わらず、相変わらず若々しく、元気そうであることへの喜びを表す言葉です。

×お久しぶりです

○お久しぶりです。お元気そうですね

「お久しぶりです」とだけ言うと、素っ気ない印象を与えることがあります。それに「お元気そうですね」を付け加えることで、相手の健在ぶりを喜ぶ温かい挨拶になります。「お久しぶりです。お元気そうで安心いたしました」など。

天気をめぐるやさしい挨拶

□いいお天気に恵まれて何よりです

よく晴れた朝に、出会った人と交わす挨拶です。とりわけ、屋外行事に参加しているときに使うと、しっくりくる挨拶。

□気持ちいいですね。雨上がりは

雨の翌朝に、出会った人に対する挨拶。「おはようございます」のあとに、こう続けると、雨上がりの朝にふさわしい明るい挨拶になります。

□やっと洗濯物が干せますね

これも、雨上がりの朝に使うと、明るい気分になるフレーズ。とりわけ、梅雨や秋の長雨の時期など、雨天がしばらく続いたあとの晴れた朝に使うと、ぴったりくるフレーズです。

相手との距離が近くなる挨拶のひと工夫

□おはようございます。今日も一日がんばりましょう

一緒に仕事をしている人と、朝、顔を合わせたときの元気な挨拶。明るい声と表情で、こう挨拶すれば、互いにモチベーションを高めることができます。

□夕べはよく眠れましたか？

ともに旅している人と、朝出会ったときの挨拶。この言葉に続けて、「夜、静かでしたね」のように、昨夜の〝睡眠〟に関する言葉をかわし合うことが、朝の挨拶代わりになります。なお、目上に対しては、「寝る」の尊敬表現の「お休みになる」を使って、「昨夜はゆっくりお休みになられましたか？」というと、丁重に聞こえます。

□またお会いできて、うれしく思います

再会した人に対する挨拶。旧知の人に対しても、最近、知り合ったばかりの人に対しても使えます。「再会できてうれしい」という気持ちを率直に伝えることができます。

□いつぞやは大変お世話になりまして

以前、世話になった人と再会したときに、感謝の気持ちを伝える言葉。実際には、単に同席した程度の知り合いで、とくに「世話」にはなっていない人に対しても、社交辞令として使われているフレーズです。

感じのいい人が使っている別れの挨拶

□また、近いうちに

相手と別れるときに、「また会いたい」という気持ちを伝えるフレーズ。「また近いうちに、ゆっくりとお会いしたいですね」「また近いうちに、ご一緒できればと思います」などと使います。ただ、こうしたセリフはあくまで社交辞令であり、こう言われたときに「では、いつ?」などと真に受けないように。

□いずれ、改めまして

その日は、ゆっくり話をする暇がなく、立ち話程度で別れるときのフレーズ。前項の「また、近いうちに」のやや改まった表現といえます。

□また、お目にかかれますことを楽しみにしております

「また、近いうちに」を上級敬語化した言い方。目上に対しては、こちらのフレーズを

使うといいでしょう。

□週末はゆっくり休んでくださいね

金曜あたりに使う別れの挨拶。とりわけ、その週、忙しかったときに使うと、ぴったり来る挨拶です。

□お気をつけてお帰りください

人を送り出すときの定番フレーズ。「道が混んでいるようです。お気をつけてお帰りください」「一雨来そうです。お気をつけてお帰りください」のように、相手への気づかいを表すことができます。

□何から何まで

接待などで、世話になったときに使うフレーズ。たとえば、接待を受けたうえ、帰りの車まで手配してもらったときなどに、「何から何までお世話になり、申し訳ございません」と、頭を下げながら使うセリフです。

初対面で好印象をあたえる人の絶妙な一言

□どうぞ、さん付けで呼んでください

相手が「○○先生」や「○○社長」などと呼びかけてくるとき、堅苦しい肩書は抜きにして、気楽に付き合いましょうと呼びかけるフレーズ。こう言えば、「気さくな人」「話しやすい人」という第一印象を与えられるものです。

□素敵な方だと、うちの○○から聞いております

取引先の人と初めて会うとき、「お噂はかねがねうかがっています」という人がいるが、これはNG。噂には〝よくない噂〟もあるため、嫌みに聞こえてしまう場合もあるからです。そこで初対面では、「お噂はかねがねうかがっています」ではなく、「素敵な方だと、よくうちの○○が申しております」のように、ストレートなほめ言葉に言い換えたほうがベター。

□お知り合いになれて、本当によかったと思います

新しく知り合った人に、見出し語のように言えば、かならずや喜んでもらえるはず。「○○さんと知り合えたおかげで、運が向いてきたようです」のようなセリフも○。

人を出迎えるときは、歓迎の気持ちをこう伝える

□心待ちにしておりました

親愛の情の込もった出迎えのフレーズ。「今日、お会いできるのを心待ちにしておりました」「○○様のご来訪を一同、心待ちにしておりました」のように使います。

□外は暑くて大変だったでしょう

暑い盛りに足を運んでくれた訪問客への社交辞令の言葉。「外は暑くて大変だったでしょう。冷たいものでも、どうぞ」と一言言うだけで、やさしく出迎えることができます。

□道中、雨は大丈夫でしたか？

雨もよいの日に足を運んでくれた人への社交辞令。「途中、降られませんでしたか？」「途中、相当降ったんじゃないですか？」などと、雨の様子に合わせて言い換えながら使います。

□道は混んでいませんでしたか？

東京などの都会で、訪問客に対して定番的に使われているフレーズです。「首都高、渋滞していませんでしたか？」「今日は五十日ですから、途中、混んでいたでしょう」など。

□○○線は遅れ気味だと聞きましたが、大丈夫でしたか？

鉄道ダイヤが乱れている日、訪問してくれた人への社交辞令。とくに乱れていない場合には、「電車、混んでいませんでしたか？」と言えば、雑談のきっかけをつかむことができます。

□長い道中、お疲れさまでした

遠方からのお客をやさしく出迎えるフレーズ。「みなさん、長い道中、お疲れさまでした」などと使います。

□この場所、すぐにわかりましたか？

少々わかりにくい場所で待ち合わせたときに使う社交辞令。こう言えば、相手も大人なら、少々迷ったとしても、「いえ、すぐにわかりましたよ」と応じるもの。

取引先での評価は、言葉の謙虚さが9割

□お時間を割（さ）いていただき、恐縮に存じます

相手の多忙さにかるい敬意を表しながら、それでも面会してくれたことへの感謝を伝えるためのセリフ。「本日はお忙しいなか、お時間を割いていただいて、恐縮に存じます」など。

□お邪魔いたしまして、申し訳ございません

訪問時に、相手の忙しさを気づかうフレーズ。「ご多用中、お邪魔いたしまして、申し訳ございません」などと使います。

□本日は貴重な時間をありがとうございました

打ち合わせなどを終えるときに、時間を割いてくれた人への感謝の気持ちを伝える挨拶。会議の主催者や司会役が、出席者全員に対する謝辞としても使うこともできます。「本日は活発に議論いただき、実りの多い会議となりました。貴重な時間をありがとうございました」など。

□聞いていただいただけでも光栄です

商談の終わりに、当方の話を聞いてくれた人への感謝の気持ちを表す言葉。その日、商談が成立しなくても、このように敬意を表し、謙虚な人と思ってもらえれば、今後につながることを期待できるでしょう。

2 社交辞令が自然に言える人のストックフレーズ……社交辞令

好感を持たれる社交辞令の基本

□近くにお越しの際は、ぜひお立ち寄りください

引っ越しをハガキやメールで通知するとき、結びに使う定番フレーズ。会話でも、「狭いところですが、近くにお越しの際は、ぜひお立ち寄りください」のように使えます。

□お役に立てることがありましたら、お声をかけてください

相手を手伝う気持ちがあることをやさしく伝える社交辞令。たとえば、起業の挨拶に来た人には、「ご繁盛を祈っています。お役に立てることがありましたら、何なりとお声がけください」と告げておくのが、大人の付き合い方。

□たまには、おつきあいください

誘ってもあまり顔を出さない人に対する社交辞令。こう言っておくと、結局のところ、相手が顔を出さなくても、こちらからは親しみの気持ちを表したことになります。

□その後いかがですか

旧知の人に対する質問であり、社交辞令。相手の近況を知らないため、雑談を振りにくいときには、このセリフを使えばいいでしょう。「その後、お変わりございませんか」も同様に使えるフレーズです。

相手を思いやるやさしい社交辞令とは？

□ホッとなさったんじゃないですか？

子どもが就職したり、結婚した人に対して、よく使うセリフ。たとえば、子どもが結婚したという相手には、「よかったですね」の次に「ホッとなさったんじゃないですか？」と続けると、相手をにっこりさせることができるもの。

□…とは、喜ばしいかぎりです

相手の慶事を祝う基本フレーズ。「傘寿を迎えられたとは、喜ばしいかぎりです。お祝い申し上げます」のように使います。

□何かいいことがあったんですか？

機嫌がよさそうな人にかける言葉。たいていの場合、「いやいや、とくには」のような答えが返ってくるでしょうが、なかには「わかります？　そうなんですよ」と返してくる人もいて、雑談を楽しく広げられるかもしれません。

□どんどん偉くなられますね

昇進したり、受賞したりした人に、かける言葉。「どんどん」という勢いのある言葉で、相手の勢いに目をみはっているという気持ちを伝えられます。

□私どものお手本です

相手を手本としていると伝えて、持ち上げるセリフ。「○○さんの仕事ぶりは、私どもも若い社員のお手本です」「○○さんご夫妻の円満ぶりは、私ども夫婦のお手本です」などと使います。

□お言葉、胸に刻みました

目上から忠告されたときや、励まし、ねぎらいの言葉をかけられたときの謝辞。この言葉で、目上に声をかけてもらったことへの感激を表すことができれば、思し召しがよくなるはず。

□いつもきれいにしていただき、ありがとうございます

掃除している人に一声かけるフレーズ。たとえば、マンションの中庭や共用部分を掃除している人を見かけたら、この言葉で労をねぎらいたいもの。

□思い出していただいただけでも、光栄ですが

しばらく行き来のとだえていた相手からの依頼を断るときの前置き。「思い出してくれた」ことへの感謝を表しながら、断ることができます。「思い出していただいただけでも、光栄ですが、私には任が重いようで」のように使います。

□楽しんでますか?

たとえば、立食パーティーで、顔見知りがいないため、一人つまらなさそうにしている人や、話の輪に入れない人に、気づかいを表す一言。「楽しんでますか?」と気さくに声をかければ、話し相手のいない人は、そのやさしさにホッとすることでしょう。「飲み物、持ってきましょうか?」と声をかけるのもOK。

□最近、調子はどうかな

たとえば、声に力がない、目を合わせようとしない、会話を避けるなど、ふだんとは様子が違う人には、「最近、調子はどう?」や「何かあった?」のように声をかけたいもの。表情や態度の変化は、心のSOS信号であることが少なくありません。

新メンバーをあたたかく迎える技法

□新風を吹き込んでください

転職者や他の部署から異動してきた人など、新しいメンバーを温かく迎えるフレーズ。「どうぞ、若い力で新風を吹き込んでください」のように使います。

□○○さんが加われば、百人力です

新しく加わったメンバーの能力を持ち上げるフレーズ。「○○さんに加わっていただければ、まさしく百人力、心強いかぎりです」のように使います。

□○○さんと仕事ができるとは、心強いかぎりです

これも、新しいメンバーを持ち上げながら迎えるフレーズ。目上、先輩格の人に対しては、「○○さんと仕事ができるとは光栄です」と言うこともできます。

退職者を気持ちよく送り出すコツ

□寂しくなりますね

転勤・転職していく人、定年退職者を送り出すときの社交辞令。このフレーズのあとに、相手の活躍を祈り、健康を気づかうセリフを続けるのがお約束です。「寂しくなりますね。一層のご活躍をお祈りしています」や「寂しくなりますね。ご健康第一にお過ごしください」のように使います。また、このセリフは、引越していく人に対しても使えます。「郷里に帰られるんですか。寂しくなりますね」のように。

□何の恩返しもできなくて

転勤する人や退職者など、これまで世話になった人を送り出すフレーズ。たとえば、相手が退職するときには、「今までお世話になりました。何の恩返しもできなくて、それが心残りです」のように使います。

□お幸せになってくださいね

結婚をきっかけに退職する女性社員に対して使われてきた言葉。「ご結婚、おめでとうございます。お幸せになってくださいね」のように使います。

□遊びにいらしてくださいね

退職者や引っ越していく人に、名残惜しい気持ちを伝える言葉。「顔を見せてくださいね」も同様に使えるフレーズで、「退職されても、ときどきは顔を見せてくださいね」など。

とにかくポジティブに持ち上げるフレーズ

□○○さんの△△は幸せですね

相手の人柄のよさをほめるフレーズ。「○○さんの奥様は幸せですね」「○○さんに教えていただく生徒は幸せですね」のように使うと、相手のやさしさを持ち上げることができます。

□何かいいことがあったのですか？

相手のポジティブな変化に気づいたときに使うフレーズ。たとえば、近頃、相手の表情がとみに明るくなったと感じたとき、「このところ、楽しそうですね。何かいいことがあったのですか？」というように使います。

□今年はいい年だったんじゃないですか

仕事で成果を出していたり、その年結婚した人など、公私にわたって充実している相手を持ち上げることができる言葉。「今年は、公私にわたっていい年だったんじゃないですか。うらやましいかぎりです」など。

□年賀状の枚数が多くて大変でしょう

相手の顔の広さを持ち上げるフレーズ。年賀状を書く面倒さに同情するかたちで、豊富な人脈を持つことを高く評価できます。「○○さんほど、お顔が広いと、年賀状が多くて大変でしょう」など。

3 人のやさしさは、あいづちに表れる……あいづち

相手に気持ちよく話してもらうあいづち

□いや、それは面白いですね

話し手の気分をよくし、会話を盛り上げ、より深い情報を引き出すためのあいづちです。「いや、〇〇さんのお話は、いつ聞いても面白いですね。それから、どうなったんですか」と問いかければ、相手はより乗って話してくれることでしょう。

□そうでしょうとも

相手の意見に強く同意するあいづち。単に「そうですね」というと、気のない返事に

聞こえることもありますが、「そうでしょうとも」と言えば、同調する姿勢をより強く表せます。

□心に染みました

相手の話に感動したことを表すフレーズ。たとえば、年配の人から、経験に裏打ちされた人生論を聞いたとき、この言葉を繰り出せば、相手は満足げにうなずくはず。

□それはなによりです

相手の自慢話、幸せ自慢系の話に対するあいづち。話し手のうれしい気持ちに対して、共感を表せます。

□お話を伺い、さまざまな刺激を受けました

講演などを聞いたあと、相手の話がタメになったと伝えるフレーズ。「心に残るお話でした」も同様に使えます。一方、「けっこう面白かったです」はNG。「けっこう」が余計な言葉で、「まあまあの話だった」という意味になってしまいます。

□**素晴らしい！**

相手の自慢話に対して、賞賛の気持ちを表す基本のあいづち。相手の「ほめられたい」「認められたい」という承認欲求を満たすことができます。同様の場面では、「すごいですねえ」や「さすがです」を使っても、話し手の承認欲求を満足させることができます。

ネガティブな話に親身に共感するあいづち

□**ご苦労なさったんですね**

相手の苦労話に対するあいづち。「順風満帆の人生を送ってこられたようにみえる○○さんにも、そんなご苦労があったんですね」のように使います。

□**まったくですね**

相手の話に強い同調を表すあいづち。とりわけ、相手の発した批判の言葉に同感するときによく使います。「まったくですね。昨今のお寒い現状は、○○さんのご指摘のとおりだと思います」のように。

□やりきれませんね

相手の無念さに同調するあいづち。「長年の準備がすべてご破算とは。やりきれませんね」のように使います。

□それは、お困りでしたでしょう

不便をしたことを話す相手に、同情を表すフレーズ。「今どき、断水が3日も続くとは。お困りでしたでしょう」など。

□もしかしたら、そういうこともあるかもしれませんね

これは、返事しにくい話へのあいづち。たとえば、相手が「陰謀論」めいたことを口にしたときは、この言葉でかわすのが得策です。バカげた話でも、「そんなことはないでしょう」と正面きって否定すると相手を憤慨させかねないので、このフレーズで体をかわしておくのが得策。

Column 1

感じのいい人が大事にしている会話の鉄則

□挨拶はとにかく明るい声で

「おはようございます」や「こんにちは」と挨拶されても、それが暗い声だと、いい印象を抱かないもの。イヤイヤ挨拶されているような気にもなってしまいます。というわけで、挨拶は、明るい声でするのが基本。明るい声で相手を愉快にすれば、その後の会話が楽しく弾むものです。

□挨拶は、語尾が肝心

挨拶は語尾が肝心です。最後の一音まで、しっかり発音することで、気持ちのいい挨拶になります。たとえば、「おはようございます」と声をかけても、語尾が力なく消えてしまうと、朝の爽やかさとはほど遠い言葉になってしまいます。

□「さようなら」は冷たく聞こえる挨拶

「さようなら」は別れの挨拶の基本語ではあるものの、単独で使うと、冷たい印象を与える言葉でもあります。

そこで、「さようなら」のあとには、次回につなげる一言を添えたいもの。「今度会える日を楽しみにしています」や「またお会いできるといいですね」など、再会を楽しみにする言葉を添えると、相手はあなたをよりやさしい人と思うはず。

□「あなた」より「○○さん」が基本

人は「君」や「あなた」のように代名詞で呼ばれると、距離を置かれたように感じるもの。一方、名前で呼ばれると、自分に関心を持たれているように感じ、相手との心理的距離が縮まります。そうなれば、会話がしぜんに弾み、相手に親しみを感じやすくなります。

□否定的なあいづちは、使わない

あいづちを打つとき、注意したいのは「否定的なあいづち」を使わないこと。たとえば、「ウソー」や「まさかァ」など、相手の言葉を疑うようなあいづちを打つと、相手は話の腰を折られたようにも感じかねません。とりわけ、さほど親しくない相手に対しては、否定的なあいづちをNGと心得たほうがいいでしょう。

その一方、「なるほど」や「ほう」など、肯定的なあいづちを使うと、「話しやすい人」という印象を与えやすくなります。

□否定形を肯定形にして使う

あいづち以外でも、「否定形」はなるべく

避けたいもの。「できません」「無理です」「ありません」「いません」といった否定語をつかうと、言葉がきつくなりがちです。言い換えられるところは、肯定形を使ったほうが、やさしく聞こえるものです。

たとえば、「できません」や「無理です」と答えるより、「明日の午後までなら、できます」と答えるほうが、ずっとやさしくもポジティブにも聞こえます。

□やさしく〝話す〟には、7割は〝聞く〟こと

「話し上手」といわれるのは、けっして立て板に水が流れるように話す人のことではありません。じつは、聞き役に回っていることが多く、相手の話をうまく引き出すことで、「あの人と話すと楽しい。本当に話し上手だ」と思わせているのです。

とかく、人は、自らのことを話したくなるものですが、そこをすこし我慢して、「聞く」を7割、「話す」を3割くらいにとどめれば、相手にとって楽しい会話になるはずです。

□他人の発言をさえぎらない

人に、やさしいと思われるには、我慢も必要です。たとえ、相手の話がつまらなくても、最後まで話を聞くのが、大人のマナー。人の発言をさえぎると、相手をムカッとさせ、それがきっかけで仲が悪くなることもありえます。

□単語や命令文だけで話すのをやめる

単語だけで話したり、命令形を使うと、むろん、やさしい言葉には聞こえません。たとえば、お店やレストランで「水」「ビール」「これ、下げて」など、単語や命令文だけで話せば、相手にやさしい人と思われることはありえません。「○○をください」「下げていただけますか」と、丁寧に話すのが、やさしく聞こえる最低条件です。

□いきなり用件を切り出さない

会話を始めるとき、いきなり用件を切り出すと、やさしさを感じさせません。用件に入るまえに、「今、お時間ありますか」とか、「少し話をしていいですか」と断りを入れるのが、大人の最低限のマナー。とりわけ、電話の場合は、そう尋ねないと、相手が外出直前だったり、食事の最中だったりして、迷惑になることもありえます。

□別れ際には、楽しい話を

会話も「終わりよければ、すべてよし」です。途中の会話が退屈だったとしても、最後に楽しい話で盛り上がれば、相手はその愉快な印象を抱いて帰っていきます。また、最後までもうひとつ盛り上がらなかった場合も、最後に「楽しかったです」と言って別れると、その日の会話が退屈だったという印象を多少は薄められるものです。

Step
2

言いにくいことが すんなり言える "思いやり"のコツ

How to effectively convey what you want to say

1 大人は、イヤな印象を与えず注意できる……注意する・抗議する

「いい上司」は、こんなとき、こう言う

△どうしたの？

↓

○いつもはきちんとしているのに、今回はどうしたの？

ミスや失敗があって、部下に問いかけるとき、△は言い方によって厳しくも聞こえ、相手を身構えさせるモノの言い方。一方、○のように「いつもはきちんとしているのに」と前置きすれば、相手の仕事ぶりや態度を評価したうえで、やさしく問いかけることができます。

×最近、ミスが多いよ

←

○最近ミスが目立つけど、疲れがたまっているんじゃない？

○は、体調などを気づかうかたちで、ミスの多さを指摘するフレーズ。×のようにストレートに注意するよりは、やさしく聞こえるはずです。

×遅刻だよ

○遅れてくるから、事故にでも遭(あ)ったのではないかと心配したよ

この○も、相手を気づかうかたちで、注意するもの言い。無用の反発をおさえることができます。「今日は遅かったようだけれど、何かあったの？」も同様の場面で使えます。一方、「会議に遅れてくるなんて、自覚が足りないよ」などと、〝昭和の叱り方〟をすると、今はパワハラに問われかねません。間違っても、「何時だと思ってんだ！」などと怒鳴りつけないこと。

×調子、よくないようですね
↓
○そろそろ、調子を出してくださいね

「そろそろ、調子を出してくださいね」は、相手の力量を認めたうえで、現状はよくないと婉曲に指摘するフレーズ。「いつもの元気を出してください」のようにも言うことができます。

相手を持ち上げながらやさしく注意するコツ

□あなたらしくもない

「いつものあなたとは違う」と言うことで、相手本来の力を認めながら、ミスや手抜きを注意するフレーズ。「あなたらしくもない、○○さんなら、もっとできると思いますよ」「どうなさったのですか。○○さんらしくないですよ」のように使います。

□君が○○できたら、完璧なのに

「完璧」という言葉で、相手の能力を高く評価しながら、○○について注意する言い方。○○には、むろん相手の欠点や修正してほしいポイントを入れます。

□○○さんなら、できるはずです

部下に注意を与えたあとには、このような言葉でフォローしたいもの。反対に「なんで、こんなことができないんだ！」は禁句。今どきは、パワハラにも問われかねません。

□○○なんかで、評価を落とすのはもったいないですよ

相手が全体としては高く評価されていることを前提としながら、注意するもの言い。「服装の乱れなんかで、評価を落とすのはもったいないですよ」のように使います。

□みんなのお手本なのですから、頼みますよ

若手のなかでは年長の人、リーダー格の人に使うセリフ。「手本になる」と相手の仕事ぶりや力量を認めたうえで、ミスや手抜きを注意するフレーズです。「○○さんは、みんなの手本なんですから、自重してください」などとも使えます。

□君もいずれ私の立場になるんですから

「将来有望」という期待を表しながら、注意を与えるセリフ。たとえば、まだ学生気分が抜けない若手社員に対して、「会社に何しにきてるんだ！」と叱っても効果は薄いでしょう。むしろ、そういう社員には、「君もいずれ私の立場になるのだから、自覚を持ってくださいよ」のように告げれば、相手は多少なりとも責任感を覚えるはず。

□期待しているからこそ、今回は残念です

「期待している」と、相手の能力や仕事ぶりを評価したうえで、注意するフレーズ。「あなたの将来性には、みんな期待しているんですよ。だからこそ、今回は残念です」など。

□私も悲しいので

ミスや失敗に対しては、怒りを表に出すよりも、「悲しい」や「残念」といったほうが、相手の「良心」に働きかけられる場合があります。「こういうことがあると、私も

悲しいので、以後、気をつけてください」のように用います。

〝後味〟が悪くならないように注意できますか？

□誤解する人もいると思いますよ

相手の言葉づかいに対して、婉曲に注意する言葉。「今の言い方だと、誤解する人もいると思いますよ。気をつけてくださいね」など。

□〇〇さんの立場がわかるからこそ、言うのですが

辛口なことを言うまえに、相手の状況を理解していることを表す前置き。ただし、この言葉は、人間関係が良好な場合にはやさしく聞こえますが、人間関係がよくないと、「あんたに何がわかるんだよ」と反発されかねないので注意が必要。

□言い過ぎたら、ごめんなさいね

多少、キツい言葉を使うまえに使う言葉。一方、キツい言葉を使ったあとには、「言い過ぎました。ごめんなさいね」という言い方でフォローすることができます。

□慎重なのはいいことですが

何事にも優柔不断な人を注意するフレーズ。「慎重なのはいいことだけど、時間がかかり過ぎてない？」など。「遅い！」や「いつまで、かかっているんだ」は今どきNG。

□ここはひとつ、ご自制ください

リスクの高い行動に出ようとしている人を思い止まらせるためのフレーズ。「時が解決することもあるかと思います。ここはひとつ、ご自制ください」などと使います。

□しつこいようですが、心配性なもので

何度も催促・確認するとき、自分の性格を理由にするセリフ。たとえば、発注した品が納期に間に合うかどうか、信用できないときに、二度以上、確認する場合は、このセリフを使いたいもの。何度も確認すると、相手は内心「しつこいなァ」と思っています。そんなとき、自分から「心配性なもので…」と前置きすれば、相手の反発を多少はおさ

えることができます。

□今からちょっとお説教しますよ

「上司」と呼ばれる人が、今、最も頭を悩ませているのは、部下の叱り方でしょう。今どき、頭ごなしに叱ることはできないので、多少の前置きをしてから、注意したいもの。そんなとき、使いやすいのが、「今からお説教するよ」というセリフです。こう言えば、相手も「叱られるらしい」という心構えができ、耳を傾ける余裕が生まれるもの。

ミスを指摘しても、反発されない言葉の使い方

□念のため、ご確認いただけますでしょうか

相手の間違いをやんわり指摘する定番フレーズ。「この点、念のため、ご確認いただけますでしょうか」と言えば、相手は見直すうち、「あ、間違ってますね」と自分で誤りに気づくはず。そのほうが、「この点、間違っていますよ」とあからさまに指摘するよりも、角が立ちません。

□私も最近、記憶力が怪しくなってきたのですが

相手の話が前とは違っていることを指摘する言葉。そんなとき、「それ、前のお話とは違うようですが」と指摘すると、その後、穏やかには話を進められなくなるかもしれません。円満に話すためには、こちらに問題があるかもしれないと前置きしてから違いを指摘するのがベター。

□ご多忙のため、ご失念かと存じますが

これは、相手が何かを忘れていることを婉曲に指摘するフレーズ。「お忙しくて、うっかりされたのだと思いますが……」も同様に使えるセリフです。

抗議・ダメ出しこそ「やわらかく」がポイント

□夜など、音が気になるようでしたら、おっしゃってください

近所迷惑な騒音を出している人（家）に対して、「夜、けっこううるさいのですが」

とストレートに抗議すると、相手の感情を害し、話がこじれかねません。そこで、見出し語のように、「こちらが音を出している」ように話すのが得策。相手も大人なら、これで真意を察してくれるはず。逆に、相手からこう言われたときには、「ウチ、うるさいですよね。すみません」と頭を下げたいもの。

□いつもの○○さんに戻ってください

酔っぱらって乱れている人をいさめるフレーズ。「○○さんらしくないですよ」も、同様に使えるフレーズで、ともにセクハラまがいの振る舞いに対しても使うことができます。

□互いに再考の余地がありそうですね

婉曲なダメ出し用のフレーズ。ストレートに「やり直してください」「考え直してください」と言うと、相手のモチベーションを奪いかねません。「互いに」と言うことで、一方的なダメ出しというニュアンスを薄められます。

□改めてのご対応をお願いしたいのですが

相手の仕事に対して「やり直し」とストレートに告げると、相手の感情を害し、やる気を削ぎかねません。まずは見出し語のように、お願いするかたちで、実質的にダメ出しするのが得策です。

謝罪をうながしても、嫌な顔をされないフレーズ

□ごめんなさいと言われて、嫌な顔をする人はいませんよ

謝罪に行っても、怒りがとけないのではないか、きつく言われるのではないかと、二の足を踏む人の背中を押すフレーズ。「頭を下げられて、それでも怒る人はまずいませんよ」など。

□ごめんなさいは、たった6文字ですよ

傍目には、頭を下げれば簡単にすむ話なのに、なかなか謝れない人がいるもの。そんな人に、多少のユーモアをまじえて、謝罪を促すフレーズ。「そろそろ、謝ったらいか

がですか。ごめんなさいは、たったの6文字ですよ」など。

□言葉に出さないと、相手には通じませんよ

「悪い」とは思っているのだが、それをなかなか言葉にできない人に、謝罪をすすめるフレーズ。「悪いと思っているなら、その気持ちを言葉で伝えなくては」など。

□頭は下げるために、あるんですよ

昔からよく使われてきた謝罪をうながすフレーズ。「大人の頭は下げるために、あるんですよ」など。

2 相手の言葉を〝思いやり〟をもって受け止める……受け答え

謝罪をやさしく受け入れるモノの言い方

□誰にでもあることですから

相手を傷つけないように、ミスや失敗を許すフレーズ。「誰にでも過ちはありますから」や「私にも似たような経験がありますから」も同様に使えるセリフです。

□私こそ謝らなければなりません

謝ってきた人に、謝り返して、相手の気持ちを楽にする一言。相手のミスの遠因は、当方にあったとすることで、水に流すことができます。「謝らなければならないのは、私のほうです」「当方こそ、お許しを乞わなければなりません」も、同様の場面で使えるフレーズです。

□事情はよくわかりました。どうぞ、お気になさらず

失敗やミスに関する相手の説明と謝罪をやさしく受け入れる基本フレーズ。「今のご説明で、事情はよくわかりました。どうぞ、気になさらないでください」のように使います。

□今回は、運が悪かったんですよ

ミスや失敗の原因を「運」のせいにして、相手の気持ちを軽くするフレーズ。「今回は、たまたま運が悪かったんですよ。どうぞ、お気になさらないでください」などと使います。「巡り合わせが悪かったんですよ」も同様に使えるフレーズです。

□お互い、いい経験にしましょう

相手のミスを、今後の教訓にしようと、ポジティブに受け止めるフレーズ。ただ、こ

のセリフを自分側の失敗に関して使うと、「何、自分の責任を棚に上げてんだ」と信頼をさらに失うもとになりかねません。

相手の意見をやんわり否定するフレーズ

□なるほど、そういう考え方もありますね

相手の意見に賛成できないことを婉曲に表すフレーズ。反論するときも、このフレーズで相手の意見をいったん受け止めてから、「ただ…」「でも…」と逆接の接続詞を使えば、相手の反発を買いにくくなります。

□貴重なご意見ありがとうございます

見当違いな指摘を受け止める一言。相手は「指摘した」ことで、それなりに満足しているのですから、「貴重なご意見ありがとうございます。今後の参考にしてまいります」と頭を下げておくのが大人の対応。素人の意見に対して、「そう言われましても…」といった反論が必要な場面は少ないはず。

□心配していただけるのは、うれしいのですが

これも、見当違いな指摘やアドバイスに応じる一言。「よけいなお世話」と思うときも、それを口に出すと、今後、助力を求められなくなるでしょう。そこで、まずは「ありがとうございます」と頭を下げたあと、見出し語を続け、そのうえで「自分でよく考えてみますので」と続けると、角が立ちません。

□その意見も捨てがたいのですが

提案などを却下するときの前置き。頭から「採用できない」というと、反発を買うおそれがあるので、「捨てがたいのですが」と、まずは相手の提案をある程度は認めることを表すフレーズ。

□…と私は考えるのですが、いかがでしょうか

相手の意見に対して、あからさまに「反対です」と告げると、相手をムッとさせかねません。そこで、見出し語のように、自分の意見を表明するというかたちで、内容的に

は反対意見を述べると、反対の意思を「反対」という言葉を使わずに伝えられます。

□ごもっともな意見ですが、私の話も聞いていただけませんでしょうか

商談や交渉の場面で、「お言葉ですが、当方にも意見があります」と言うと、険悪な空気になりかねません。まずは、相手の話を「ごもっともな意見」と受け止めたうえで、「当方の話も聞いてほしい」と頼めば、相手の気分を害することなく、こちらの意見に耳を傾けてもらいやすくなります。

□わかりあえたことは少なくなかったと思います

意見が対立し、議論が紛糾した後、多少は丸くおさめるためのフレーズ。「本日は、忌憚（きたん）のない意見を伺えました。わかりあえたことは少なくなかったと思います」などと言えば、紛糾した議論をケンカ別れではなくポジティブに締めくくることができます。

□うん、そうだね

部下の意見を聞くときは、途中でさえぎることなく、最後まで聞くことが肝要。そし

て、「うん、そうだね」と受け止めてから、「ただ、君の考えだと、○○とは矛盾するよね」のように、相手の意見の弱点を指摘すると、納得を得やすくなります。一方、NGは、「ああ、そんなのダメダメ」など、途中で話をさえぎり、理由も言わずにダメ出しする言葉です。

□私は○○と思うけど、違うかな？

部下と意見交換するときには、一方的に上から話すのではなく、双方向を意識した話し方を心がけたい。とりわけ、受け身の部下とは、「私はこう思うけど、違うかな？君はどう考えますか？」のように問いかけると、相手はスムーズに意見を述べやすくなります。

相手の気持ちを考えた〝いい人〟の断り方

□ありがたいお申し出ですが

提案を断るときに、相手を立てるお約束の前置き。「ありがたいお申し出ですが、今回は見送らせていただきます。あしからず。ご了承ください」というのが、基本パターンです。

□お気持ちはうれしいのですが

相手の好意からの提案などを断るもの言い。「お気持ちはうれしいのですが、今回は辞退いたします」など。「お声をかけていただいたのは、うれしいのですが」や「お誘いはうれしいのですが」も同様に使えるフレーズです。

また、「お気持ちにお応えできず…」も、同様の場面で使えます。たとえば、役職への就任を断るときには、「ご推薦いただいたお気持ちにお応えできず、まことに申し訳ありません」などと使います。

□私などには、もったいないお話で

相手からの依頼・要請をへりくだりながら断るフレーズ。こう言って謙虚に断れば、相手を不快にさせません。「私などには、まことにもったいないお話とは存じますが、家庭の事情もあり…」などと断ります。

□お志はありがたいのですが

贈答品など、金品の提供を断るときのフレーズ。「お志はありがたいのですが、社の指示で、どちら様にもお断りしていますので…」などと使います。

□事務的な言い方で恐縮ですが

規則を盾にして断るときの前置き。「事務的なもの言いで恐縮ではございますが、小社の内規で、できないことになっておりまして」のように使います。「規則なので、できません」というよりは、まだしも事務的で冷たい感じには聞こえない言い方。

□検討に検討を重ねたのですが

ビジネス上のやや重めの提案を断るときの前置き。同じ意味でも、「いろいろ考えたのですが」という日常的な表現はどうしても軽く響くので、重大提案を断るときには不向きです。

□じっくり検討させていただきますので

相手からの提案への返事を先送りするセリフ。こう言えば、「後回しにする」という印象をあまり与えません。また、察しのいい相手なら、こう言えば、「乗り気ではないんだな」と察してくれるはず。

□なるほど、そちらの事情はよくわかりました

これは、相手からのとても呑めないような要求・条件を断るときの前置き。まずは、この言葉で受け止めておき、その後「ただし…」と反論したり、「お時間をいただいて、検討したいと思います」と時間を稼ぐ方向を目指したりできます。「勝手ばかり、言わないでくれますか」や「それは無理な話ですね」などと応じると、話全体が壊れかねません。

□個人の立場で応援させていただきます

これは、会社や組織での協力、応援は無理という意味。「小社としては、ご意向に添いかねますので、今後は個人の立場で応援させていただきます」など。

□食事をすませたばかりなので

食事の誘いを断るときの常套句。たとえば、気乗りのしない相手からの誘いに対して、「今日はちょっと」と応じると、空気がいささか沈むもの。そこで、見出しのフレーズを使い、それに「お誘い、ありがとうございます」の一言を付け加えると、やさしく断ることができます。

謝るかたちをとりながら、実のところ断るフレーズ

□お役に立てなくて本当に残念です

依頼・要請を断る基本フレーズ。「ご要望に添えず、申し訳ありません。お役に立てなくて本当に残念です」のように使います。

□心苦しく思っております

さまざまな場面で使える謝罪型の断り用のフレーズ。単に「すみません」と言うのは

日常的過ぎて、断るときにはやや軽く響きます。

□私も悔しいのですが

自分の本意ではないが、諸般の事情から断らざるを得ないときに使うフレーズ。「私も悔しいのですが、社の方針で、お引き受けするのは難しく…」のように使います。

□せっかく頼っていただいたのに、申し訳ありません

このように、こちらの能力や事情を理由にして断ると、相手の面子をつぶすことにはなりません。「せっかく頼っていただいたのに、力不足で申し訳ありません」「せっかく頼っていただいたのに、手元不如意で申し訳ありません」などと使います。

うまく謝るための日本語の作法

□あってはならないことでした

失態をしでかしたあと、反省の弁を述べるときの前置き。「こんな初歩的なミスをす

ることは……。あってはならないことでした」のように使います。

□考え違いをしていました

思い上がりや判断が一方的すぎることなどを指摘されたとき、素直に認める気持ちを伝えるフレーズ。「考え違いをしておりました。申し訳なく存じます」のように使います。

□申し訳ございません。以後、このようなことのないようにいたします

こちらの不注意を指摘されたときの基本的な受け答え。自分の至らなさを認めて、今後精進するという気持ちを表すことができます。

□十分な時間がとれず申し訳ありません

相手との面会に十分な時間が取れなかったときに使う言葉。相手との話をそろそろ打ち切りたいときにも使うことができます。「次の予定がありまして。本日は、十分な時間がとれず申し訳ありません」というように。

人をやさしくかばうのに欠かせない一言

□責任の一端は私にもあります

部下や同僚など、自分側の人間の失敗を詫びるフレーズ。たとえば、自分の部下のミスで、上司の怒りを買ったとき、部下への指導・監督の不行き届きを認めるかたちで、ともに頭を下げるときに使います。「責任の一端は私にもあります。どうぞ、ご容赦ください」のように。

□悪いのは、○○さんばかりではありません

ミスなどの原因が、○○さんだけにあるとは思えないときに使うフレーズ。こうして、かばっておけば、後々○○さんから大きな信頼を得られるはず。

Column 2

悪い印象を残さない「断り方」のルール

□即座に断らない

人からの依頼や誘いを断るときは、多少間をおくのが大人の作法。たとえば、相手から食事に誘われたとき、「あー、その日は無理です」と即座に断ると、相手は気を悪くしかねません。すぐに断りを入れるのではなく、手帳をめくったりして、少し間をおくのが得策。そうするだけで、断られた相手の気持ちも和らぐというもの。もう少し重い用件のときは、「日程の調整をしてみます」や「先約と話をしてみます」などと、答えを先延ばし、しばらく時間をおいてから、「やっぱり…」と断れば、誘いを受ける努力をしたという印象を相手に与えることができます。

□まず「ありがとう」といってから断る

人からの依頼を断らなければならないときには、その断り方に、その人のやさしさが表れます。ポイントは、断るまえに、まず「ありがとう」と言うこと。頼りにしてくれたことへの感謝の気持ちを表し、それから断らざるをえない理由を話せば、相手を不快な気持ちにさせることなく、断ることができます。

□断るときは、自分に非があることを強調する

相手の頼みを断るときは、理由を説明したいものですが、それにも言い方があります。むろん、「あなたが、あまりに無理を言うから」という調子で断ると、相手を鼻白ませることになってしまいます。ここは、自分に非があるという言い方をするのが得策。たとえば、「申し訳ありません。私の力では無理なようです」と、自分の能力に問題があるように言って断れば、相手を傷つけることはなく、今後の関係にひびがはいることもないでしょう。

□断るときは、ゆっくり話す

断るとき、早口で「いやァ、無理です」などと言うと、冷たい人という印象を与えがちです。気持ちでは「断って申し訳ない」と思っていても、早口で断ったのでは、その思いは伝えられません。

断るときは、言いにくそうに、ゆっくりと話すこと。ところどころで間をおきつつ、「申し訳ありません。ちょっと、厳しいですねェ」というように言えば、少なくとも冷たいという印象は与えなくてすみます。

Step 3

他人を励ますことができる人になるために

How to effectively convey what you want to say

1 大事なときに、あたたかい一言が言える人になろう……励ます

「励まし」に気持ちを入れるための言い換え

×がんばりましょう

↓

○おいしいお酒が飲めるよう、がんばりましょう

○は、プロジェクトを始める前に、仲間やメンバーを元気づける一言。単に「がんばりましょう」というよりも、明るく打ち解けた雰囲気を演出できます。「いよいよ始まりますね。最後にはお互い、おいしいお酒が飲めるよう、がんばりましょう」のように使います。

×失敗は許されませんよ

↓

○大丈夫。失敗しても、元に戻るだけですよ

本当に「失敗は許されない」場面でも、×のように言うと、相手にプレッシャーをかけるだけ。励ますことにはなりません。一方、○のように、明るく励ませるのが、先達やリーダーというもの。とりわけ、リスクを過大評価して、手を拱（こまね）く人を励ますときに効果的なセリフです。

×応援していますよ

↓

○いつでも駆けつけるので

×はよくある社交辞令。一方、「駆けつける」という動詞を使えば、応援する気持ちをよりビビッドに表せます。「困ったことがあったら、何でも言ってください。いつでも駆けつけますので」と言えば、相手の表情がパッと明るくなるはず。

×大丈夫

←

○○○さんなら大丈夫

相手の力を信じていることを表すフレーズ。配偶者や恋人には「○○さんなら大丈夫。きっと、できるよ」「○○さんなら大丈夫。才能あるから」のように使います。また、事業を始めようとする人には、「○○さんなら、大丈夫ですよ。きっと成功しますよ」と声をかけることができます。

×では、計画どおり、始めてください

←

○○○さんの信じたことをやればいいんです

計画のスタートにあたって、×のように言うのは、ただの命令。相手を元気づけることはできないでしょう。一方、○を使って「いよいよ、スタートですね。○○さんの信じたことをやればいいんです」のように言えば、相手のモチベーションを引き出せるはず。

×そろそろ始めてみたら、どうですか

↓

○始めてみたら、案外、面白いかもしれません

○は、何だかんだ理由をつけて、手を拱いている人にかける言葉。「そんなこと、おっしゃらずに。やってみれば、案外、面白いかもしれませんよ」のように使います。

感じのいい人は、この一言で励ましている

□○○さんの力はこんなものじゃないはず

落ち込んでいる人を励ますフレーズ。「何をヘコんでいるんですか。○○さんの力はこんなものじゃないはずですよ」のように使います。

□○○さんなら、できますよ

人を励ますには、単に「できますよ」というよりも、「○○さんなら…」と相手の名

前を加えたほうが、相手の胸に届く言葉になります。「私は信じていますよ。○○さんなら、できますよ」などと使います。

□昨日よりも確実によくなっていますよ

自分には才能がない、この仕事に向いていないなどと悩んでいる人を元気づけるフレーズ。「何、元気のないことを言ってるんですか。昨日よりも確実によくなっていますよ」のように使います。

□これから、どんどん面白くなりますよ

転職した人や起業した人が挨拶に来たときにかける言葉。そういう転機の時期、相手は多少の不安を抱えています。そんなときに、「○○さんなら、大丈夫ですよ」という言葉に続けて、見出し語のようにいえば、相手の元気をより引き出すことができます。

□誰でも最初は経験ゼロですよ

初めての仕事などに対して、「経験がないので……」としり込みしている人を勇気づ

ける一言。「誰でも最初は経験ゼロですよ。まずは、やってみることですよ」のように使います。

ほめながらやる気を引き出すやさしいもの言い

□よくやってくれました

成果をあげた人、部下をほめるフレーズ。「いやあ、よくやってくれましたね。お疲れさまでした」のように使います。

□○○さんのおかげで

成果をあげたり、周囲に好影響をもたらした人をほめるフレーズ。「○○さんのおかげで、事務所全体に活気が出てきましたよ」のように使います。

□その意気、その意気！

相手が「がんばります！」などと、ポジティブな決意を述べたときに応じる言葉。自信がありそうな言葉を口にしたときも、「そう、その意気ですよ」のように使います。

□○○さんらしさが出てきましたね

相手の作品や仕事に対して、「個性が出てきた」とほめるフレーズ。「新しさを感じる作品です。○○さんらしさが出てきましたね」のように使います。

□部長がキミの仕事ぶりをほめていましたよ

人のやる気を引き出すテクニックのひとつに、「間接的にほめる」方法があります。たとえば、若手社員に対して「君の仕事ぶりを認めているよ」と直接的にほめるよりも、第三者の口を借りてほめたほうが効果的なことがあるのです。とりわけ「部長が君の仕事ぶりをほめていたよ」と、より上の上司の言葉としてほめると、効果が高くなることがあります。

相手のポジティブな感情を受け止める言葉

□格別でしょうね

相手にとって愉快なことに共感を表すフレーズ。「紅葉の季節の温泉は、また格別でしょうね」「故郷で迎えられる正月は、格別でしょうね」のように使います。

□安堵されたんじゃないですか

相手の心配や悩みが解消したことに、共感を表し、ともに喜ぶフレーズ。たとえば、相手の妻が退院したと聞いたときには、「奥様のご病気、もうすっかりよろしいとか。安堵されたんじゃないですか」、息子の就職が決まったと聞いたときには、「ご長男が○○にご就職とか。安堵なさったんじゃないですか」と言えば、やさしく響きます。

□努力が実を結びましたね

成果をあげた人におくる一言。そういう人に対しては、「すばらしい結果が出ましたね」や「みんな喜んでいますよ」という言い方もあります。

丁寧に労をねぎらう〝思いやり〟の言葉

□いつもありがとう

相手の働きぶりに、感謝する言葉。単なる「ありがとう」ではなく、「いつも」と足すことで、より深い感謝の言葉になります。今の仕事を「つまらない」と思っている人も、こう言われれば、モチベーションが高まるはず。「いつも感謝していますよ」や「いつも助かっていますよ」も、同様の場面で使えるフレーズです。

□いつも頑張ってますね

相手の働きぶり、努力ぶりを評価する基本フレーズ。「よくやってますね」や「よく努力しているね」も、同様に使うことができます。

□○○さんのそういうところ、尊敬していますよ

「尊敬している」ということで、相手の仕事ぶりなどを評価するフレーズ。こう言われ

ると、自信が出てきて、気持ちも仕事ぶりもポジティブになるもの。「○○さんからは、たくさん学ばせてもらっていますよ」も、同様に使えるフレーズです。

□今日一日、お疲れさま

その日、一緒に働いた人をねぎらう一言。「今日一日、よくがんばりましたね。お疲れさま」と言えば、相手の仕事ぶりを評価しながら、ねぎらうことができます。

□○○さんにまかせてよかったと思います

相手の出した仕事の成果などを評価するフレーズ。「お疲れさま。○○さんにまかせて、本当によかったと思います。ありがとう」などと使います。「本当に頼りになりますね」も、同様の場面で使えるセリフです。

2 自分の言葉で、相手の背中をやさしく押す方法……励ます

最初の一歩を踏み出せない人をその気にさせる

□まず、やってみませんか。自信は後からついてくるものですよ

自信がなく、なかなか最初の一歩を踏み出せない人にかける言葉。「自信は、まずやってから、築いていくものですよ」のようにも使えます。

□誰にでも最初があるものですよ

誰しも、初めてすることには、気後(きおく)れがあるもの。これは、そんな人の背中を押す一言。また、物事を頼んだ相手が、「経験がないので」と断ってきたときに説得用の言葉

としても使うことができます。

□新しいことに専門家なんていませんよ

新しいことを始める前に、しり込みしている人を励ます一言。たとえば、新しい仕事をまかせようとしたとき、「私で大丈夫でしょうか」という人は、このフレーズで励ますことができます。

□一度経験すれば怖くなくなりますよ

初めてのことに対して、腰の引けている人の背中を押す言葉。「一度経験すれば、『なんだ、こんなものか』と思えますよ」も同様に使えるセリフです。

□初めてなんだから、失敗して当たり前ですよ

初めて取り組むことで、失敗を恐れる必要はないという意味の一言。実際に初めて取り組んだことで失敗した人を慰める言葉としても使えます。「失敗してみないと、わからないこともありますよ」というセリフも、同様の場面で使うことができます。

相手の背中をそっと押すやさしいフレーズ

□確かにリスクは大きいですが、メリットも大きいですよ

リスクの大きさを懸念して、決断を先延ばしにしている人や組織に対して、決断を迫る一言。リスクをコストにかえて、「確かにコストは大きいですが、メリットはそれ以上です」のようにも使えます。

□命までは取られないでしょう

多少乱暴な言い方ながら、本番を前にして気弱になっている人を励ますセリフ。「失敗したって、命までは取られないでしょう。当たって砕けろですよ」「謝りに行っても、命までは取られることはないのですから、早く頭を下げることですよ」など。

□もう結論は出ているんじゃないですか

相談を持ちかけてくる人には、すでに自分なりの結論を出していて、背中を押しても

らうために、相談をしてくる人が多いもの。これは、その「要望」にこたえるフレーズ。「お話を伺っていると、もう、○○さん自身、結論を出されているような気がします。そのとおりでいいと思いますよ」のように使います。

□何事にも、遅すぎることはありませんよ

「もう（年齢的に）遅い」や「チャンスを逸した」と嘆く人に一歩踏み出させるセリフ。「何事にも、遅すぎることはありませんよ。思い立ったときが吉日ですよ」など。

□今が○○さんの出番ですよ

何かに取り組むまえに、自信なさげにしている人を激励する一言。「何を迷っているんですか。今が○○さんの出番だと思いますよ」のように使います。

□言ってみなければ、気持ちは通じませんよ

告白できない人の背中を押す一言。「気持ちはわかりますが、言ってみなくちゃ、気持ちは通じませんよ」のように使います。他に『好きだ』と言われて、嫌がる人はめったにいませんよ」という言い方もあります。

「いつでも相談に乗りますよ」の伝え方

□よかったら話してみませんか

悩みを抱えていそうな人の相談に乗るときの基本フレーズ。「大してお役に立てないかもしれませんが、よかったら話してみませんか」のように使います。

□何でも言ってね

新しい環境や仕事に慣れていない人にかける言葉。「困ったことがあったら、何でも言ってね」や「わからないことがあったら、何でも言ってね」のように、やさしく声をかければ、慣れない相手ほど、そういう声掛けをありがたく感じるものです。

□おいしいものを食べに行きませんか

悩みを抱え、相談相手が欲しそうな人にかける言葉。そういう人には、直接的に「悩んでいることがあれば、話を聞くよ」と言うよりも、この見出し語のほうが話しやすい環境をつくれることがあります。

□愚痴ならいつでも聞くよ

あえて「愚痴」ということで、話しやすくするフレーズ。ただし、このセリフを使えるのは、気のおけない間柄だけ。さほど親しくない相手には、「○○さんのことはいつも気にかけていますので、気軽に声をかけてください」くらい、言葉を補ったほうがいいでしょう。

□何か心配事でもあるの？

内気な人は、悩みを自分からは打ち明けにくい。このフレーズは、そうした気持ちを察して水を向ける言葉。「何か心配事でもあるの？　いつでも相談に乗るよ」など。

□秘密はかならず守りますよ

相手が悩みごとを話しはじめたものの、途中で口ごもってしまったときに使って、話しやすくする言葉。「どうぞ、気楽に話してください。秘密はかならず守りますよ」のように使います。

応援する気持ちを表すのにピッタリのフレーズは?

□がんばっている人には、応援が来るものですよ

世の中には、がんばりのわりに、日の当たらない人がいるもの。このセリフは、そんな不遇な人を励ますフレーズ。「いつか、応援が来ますよ」や「○○さんのがんばりには、大勢が気づいていますよ」も、同様の場面で使えるセリフです。

□私にできることがあれば、手伝いますよ

仲間であることを表し、相手を元気づけるフレーズ。「私でお役に立てることがあれば」「何か、力になれることはありませんか」といった言い方もあります。現実には、実際に何かを手伝うというよりも、励ましの意味合いが強いフレーズです。

□**我慢する必要はないからね**

「私」に対しては、我慢したり、強がったりする必要はないと伝える言葉。「泣きたいときは、泣いてもいいんだよ。私のまえで我慢しないでね」などと使います。

「断った」ことを気に病む人にどう声をかける?

□**こんなことで怒る人じゃないから、大丈夫だよ**

相手からの依頼や誘いを断った後、「相手を怒らせたのではないか」と気に病んでいる人にかけるフレーズ。「気にすることはありませんよ。こんなことで、怒る人ではありませんから」のように使います。

□**断ったからといって、仲が悪くなるわけではありませんよ**

相手からの依頼を断ったことで、「今後、関係が悪化するのではないか」と心配する人を落ちつかせるフレーズ。「ひとつ断ったくらいで、関係が終わるわけではありませんよ」のようにも使います。

会議で使える〝思いやり〟フレーズとは？

□このことに関する意見が否定されただけですよ

会議などで意見を否定され、しょんぼりしている人を励ますフレーズ。「この件に関する意見が否定されただけで、○○さん自身が否定されたわけではありませんよ」など。

□何事にも、反対意見が出るのは当たり前のことですよ

反対意見にあって、しょげている人を励ます言葉。あるいは、反対意見を口にすることをためらっている人を励ます言葉としても使えます。「反対意見があってこそ、建設的な話し合いになるものです」のようにも使えます。

□何か一つでいいので、意見を言いましょう

「発言してバカにされたら……」と、人前で意見を言うのをためらう人にかける言葉。「何も言わないよりはマシですよ」も、同様の場面で使える言葉です。

Column 3

〝思いやり〟をもって励まし、慰める技術

□落ち込む相手には「頑張らせない言葉」を

落ち込んでいる人に対して、励まし方を間違えると、さらに相手を苦しめることになりかねません。

そもそも、精神的ダメージを負っている人は、他の人の言葉に敏感になっています。なにげない一言が、相手をさらに落ち込ませることが多いのです。

とりわけ、注意したいのは、安易に使いがちな「頑張れ」という言葉。たとえば、努力が報われず、落ち込んでいる人に対して、さらに頑張れというのは、酷というものでしょう。

そんな人には、頑張れでなく、別の言葉をかけたいもの。あえて、そういうことで、「あなたを大切に思っているよ」というメッセージが伝わります。

□初めての仕事をまかせるときの心がまえとは？

初めての仕事をまかされた人は、不安に思っているもの。できる上司なら、その不安を解消するため、「君なら大丈夫」と声を

かけるものです。本音では「危なっかしいな」と思っていても、そう言い切るのです。すると、部下は「仮に失敗しても、フォローしてくれるはず」と頼もしく感じ、のびのびと仕事ができるようになります。その結果、初めての仕事をクリアする確率が高まるというわけです。

□やさしく聞こえる忠告のコツ

人は、相談を持ちかけるとき、すでに自分で答えを出していることが少なくありません。ただ、自分一人では、その答えでいいのか、確信が持てないために、誰かに同意を求めるのです。

そこで、人から相談され、相手が「答え」めいたことを口にしたときは、その答えに近い言葉をかけるのが、大人のやさしさというもの。

特集 2 やわらかい言葉に言い換えられますか〈応用編〉

1 注意しても「やさしい人」と思われるコツ

×結果がすべてだからね
↓
○結果がすべてではないからね

×は、目先の結果にこだわり、プロセスに目を向けようとしない言葉。相手の努力や働きにまったく目を向けない冷たい言葉といえます。一方、○は、プロセスも重視するという意味の言葉。こういう姿勢で、プロセスにも目を配り、相手の努力ぶりを正当に評価すれば、さらなるやる気を引き出すことにつながり、長い目ではより大きな「結果」につながることでしょう。

×ちゃんと読んでくれよ
↓
○わかりづらい書き方をして申し訳ないね

人に注意するときは、「当方にも責任があるように注意する」と、やさしく聞こえます。たとえば、相手が、当方の書いた文章の意味を取り違えていた場合、×のように相手の読解力のせいにすると、相手をムっとさせてしまいます。一方、○のように、こちらにも落ち度があったと認めると、相手は感情的になることがないので、その後の説明が伝わりやすくなります。

×何度も同じこと言わせないで
↓
○私の説明が下手だったかも。もう一度、説明するねこれも、「当方にも責任がある」と認めることで、言葉をやさしくするパターン。相手がこちらの話をよく理解していないため、再度説明せざるを得ないときの前置きとして使えます。一方、今どき、×はNG。部下に対して使うと、パワハラとも言われかねません。

×前に話したはずですよ
←
○私の言い方が曖昧だったようで、申し訳ありません

○は、相手が「そんな話、聞いてない」と言い出したときに、やさしく応じるフレーズ。そんなとき、「前に話したはずですよ」や「忘れたんですか」などと言い返すと、不毛な水掛け論に陥りかねません。○のように言えば、「自分が伝えた」ことを角を立てずに伝えられます。

×やる気あるの？
←
○困っていることがあったら、言ってね

不注意なミスが続くなど、仕事に身の入らない部下がいたとしても、「やる気あるの？」

はＮＧ。ますます、相手のやる気を削ぐことになるでしょうし、今はパワハラにも問われかねません。一方、○のように聞けば、現状をやんわり指摘したうえで、改善を図るきっかけになることも期待できます。

×いつまでかかっているの？

↓

○マイペースなのは、けっこうだが

仕事の遅さを指摘するとき、×や「仕事が遅いんだよ」などと厳しく指摘しても、事態の改善は望めないでしょう。「たらたらやってんじゃないよ」は、むろん今どきＮＧです。まずは、○のように前置きし、「もう少し早くしていただけませんか」や「どうすれば、早くできるか、一緒に考えてみましょうか」というのが、令和のオフィスにはふさわしい言葉。

×なんで、いつもそうなの？

↓

○どうしたら、改善できるかな？

×は、相手に対する低評価を前提にした言葉。相手が不注意だったり、態度が悪いときでも、こんな言い方をすると、相手はふてくされかねません。そんなとき、○のフレーズを繰り出すと、現状をやんわり指摘したうえで、改善の方法を見つけるきっかけをつくれるかもしれません。

2 間違いを指摘するときこそ〝思いやり〟が問われる

×そこ、間違ってますよ

↓

○そこ、間違いやすいですよね

人の間違いを指摘するとき、「そこ、間違っていますよ」とあからさまに指摘すると、相手のプライドを傷つけてしまいます。一方、「そこ、間違いやすいですよね」と言うと、多少はやさしく聞こえます。「私も、うっかりしそうになったのですが」も同様に使えるフレーズです。

×そのやり方は間違っていますよ

↓

○私なら、別のやり方を選ぶと思います

これも、相手の間違いをあからさまに指摘することを避ける言い換え。○のように、自分を主語にすれば、「(相手が)間違っている」という言葉を使わずに、同じ意味のことを伝えられます。

×その考え方、間違ってるよ

↓

○私はこう考えるのだが

×のように言って、相手の意見を否定し、論破したところで、多くの場合、相手を納得させることはできません。むしろ、相手を不愉快にし、反感を買うだけでしょう。一方、○のように始めれば、相手に耳を傾けてもらいやすく、説得への第一歩を踏み出せます。現実的なメリットは、○のような言葉のほうが多いものです。

×それ、違ってますよ
←
○私の思い違いかもしれませんが

○は、上司など、目上の間違いを指摘するときの前置き。「私の思い違いかもしれませんが、この点はこれでよろしいのでしょうか?」のように使います。×のように、間違いをストレートに指摘すると、目上の機嫌を損ねかねないので、婉曲に指摘するのが賢明なもの言い。

3 抗議は、あえて「わかりにくく」言ってみる

×うるさいですよ
←
○お話が弾んでいらっしゃいますね

相手が大騒ぎして傍迷惑なときでも、いきなり「うるさいですよ!」と抗議すると、相手も感情的になって、事態がますます悪化しかねません。一方、○のように言えば、相手も大人なら、「話が弾みすぎている(=傍迷惑になっている)」ことに気づくはず。

×音が筒抜けですよ
←
○壁が薄いので、うちの声が届いていませんか
隣りの部屋がうるさいとき、「音が筒抜けなので」というと、角が立ちかねません。○のように言えば、相手に「察してください」と伝えることができます。

×ここに自転車を停めないでください
←
○この前、ここで自転車、盗まれたんですよ。大丈夫でしたか？
×のようになにかを禁止するモノの言い方は、とりわけ反発を買いやすいパターン。一方、○のように「相手のことを心配する」かたちをとれば、実質的には注意しながらも〝親切な人〟と思わせることができます。

×きれいに使ってください

←
○きれいにお使いいただき、ありがとうございます

×のような言い方をすると、反発を買って、かえって乱暴に使う人まで出てきかねません。一方、○のように相手の〝善行〟に感謝する貼り紙をすれば、その後、公衆トイレなどの公共の場がきれいに使われることがわかっています。

×先日、お貸しした書類、返してはいただけないでしょうか
←
○先日、お貸しした資料を見せてはいただけないでしょうか

×のように「返してほしい」と言うと、「いつまで借りているつもり？」と相手を咎めるようなニュアンスを含んでしまいます。一方、○のように「見せてほしい」と言えば、そういうニュアンスを感じさせることなく、暗に「そろそろ、返してほしい」ことを伝えられます。こう言えば、大半の人は「ああ、借りっぱなしでしたね」と長く借りていたことに気づき、返してくれるもの。

×どこをどう直せばいいんですか？

↓

○お考えを反映したいので、ご意見を伺えますか？

相手から「もうひとつですねえ」などと、ダメ出しされたとき、×のように問い返すと、不満に思っているようにも聞こえかねません。一方、○のように問えば、具体的な意見を引き出せるかもしれませんし、うまくいけば、「よく考えてみると、このままでもいいですね」とダメ出しの撤回につながることもあるでしょう。

×できることと、できないことがあります

↓

○不甲斐ないこと、お恥ずかしい限りです

相手からの依頼・要請を断るとき、×のように言うと、口論にもなりかねません。○のように、こちらの能力不足を理由にすれば、相手の顔を立てながら、断ることができます。

×何するんだよ

○夏はやっぱコレに限るなあ　←

たとえば、飲み会で、隣の人がビールジョッキを倒し、あなたのズボンにビールがかかったとします。そんなときは「何するんだよ！」という言葉が反射的に口を突きそうになるでしょうが、それを言葉にするのは大人げない対応。○や「これで、洗濯するきっかけができたよ」といったユーモアをまじえた言葉で場を和ませたいもの。そんな寛大な対応が「やさしい人」という評判、やがては人望につながっていきます。

4 「否定」の言葉を受け入れやすくする言葉の魔法

×そこが君の欠点だよ　←

○そこが、○○さんの長所でもあるわけですが

相手のためを思っての注意でも、×のようにあからさまに欠点を指摘すると、反発を買うことが多くなります。そこで、○のような、言葉の攻撃性を緩和するフレーズを使いたいも

の。たとえば、「今回は独断専行が過ぎたようですね。そういうところが、君の長所でもあるわけですが……」のように。

×がっかりさせないでくれ

←

○私以上に、君ががっかりしていると思いますが

失敗後は、多くの場合、本人も反省しているもの。そんなとき、「原因は○○だろう。わかっているのか！」と叱りつけても、相手は内心「そんなことわかっているよ」と反発していることでしょう。そこで、注意するときには、○のような前置きをおくのが得策。「君が反省していることは、よくわかっているが…」という前置きも○。

×何にも知らないんだなあ

←

○私も最近知ったんだけどね

人の知識不足や間違いを指摘するときには、相手のプライドを傷つけないよう、言葉を慎

重に選びたいもの。たとえば、相手の知識が乏しいときに、「何にも知らないんだなあ」と小バカにするような言い方はNG。そんなときは、「私も最近知ったんだけど」と前置きしてから、説明すれば、相手のプライドを傷つけずにすみます。

×それ、本気で言ってるんですか
←
○それ、コンプライアンス的に大丈夫ですか

相手が非常識な話をしはじめたとき、「それ、本気で言ってるんですか」や「正気ですか」などと全面否定すると、口論にもなりかねません。非常識な意見やアイデアに対しては、近年流行りの言葉「コンプライアンス」を使い、○のように問いかけるかたちで否定するのが得策。事を荒立てることなく、相手を〝正気〟に戻すことができます。

×話が脱線しているようなので
←
○テーマがふくらみすぎているので

会議や打ち合わせで、話が本筋からはずれた場合、×のようにストレートに軌道修正しようとすると、話を脱線させた人を責めることになってしまいます。一方、○のように言えば、他者を責めることなく、話を本筋に戻せます。

×今年の新人は使えないね
↓
○今年の新人はおっとりしているね

人物評などを聞かれ、ネガティブに表現せざるをえないときは、言葉を慎重に選びたいもの。×のような、ストレートな悪口は大人のNG。○のような婉曲表現でも、言わんとするところは伝わるものです。

Step 4

相手のことを思う その気持ち、言葉にできる？

How to effectively convey what you want to say

1 元気づける言葉で、相手に寄り添う……慰める・ねぎらう

相手に自信を持たせる言い換え

×そんなことで、お悩みなんですか
↓
○一流の人ならではの悩みですね

愚痴や悩みを口にする人は、おおむね承認欲求を満たされていないもの。○は、相手を「一流」と認めることで、まずは承認欲求を満足させるモノの言い方。こうして、欲求不満を解消すれば、相手は少しは気分が晴れるはず。

×上手になりましたね
←
○センスありますね

○は、若手や初心者のやる気を引き出す基本ワード。「センスがある」は、他のどんな言葉よりも、やる気を引き出す言葉です。「センスありますよ。練習すれば、すぐにうまくなると思います」のように使います。

×ピンチはチャンスです
←
○○○さんなら、ピンチをチャンスに変えられると思います

×のように言っても、ピンチにある相手には、ありきたりな常套句としか、聞こえないでしょう。一方、○のように言えば、相手の実力を高く評価しながら、励ますことができます。「○○さんなら…」ということで、単に「ピンチはチャンス」というよりも、相手の心により響く言葉になるはずです。

モチベーションを上げるやさしい一言

△残念でしたね

↓

○できないことがわかっただけでも、収穫ですよ

○は、新しいことに取り組んだものの、失敗に終わった人を慰める一言。たとえ、徒労だったにしても、相手の努力を肯定的に評価できます。△は、ひじょうによく使われる言葉だけに、相手の心にはほとんど響かないでしょう。

×（時間や労力が）無駄になりましたね

↓

○無駄なことなんて一つもありませんよ

○は、徒労に終わったことも、「経験になった」という意味では、無駄ではなかったと、相手を慰め、励ますフレーズ。貴重な経験として、今後の糧（かて）にしようという意味です。

×負けましたね

↓

○これで終わりじゃありませんよ

○は、敗戦などで落ち込んでいる仲間やメンバーを元気づけるフレーズ。「完敗でした。でも、これで終わりじゃありませんよ。次に勝つための第一歩ですよ」「これで終わりじゃありませんよ。飛躍するためのきっかけですよ」などと使います。

×難しいのは、当たり前ですよ

↓

○難しいと思うのは、わかってきた証拠ですよ

○は、仕事や勉強で、「難しい」や「わからない」と悩み、やる気をなくしている人にかける言葉。×のように言っても、モチベーションを高めることにはつながらないでしょうが、○のように言えば、相手の進歩を認め、新たなやる気を引き出すことにつながります。人に何かを教えるとき、タイミングよく繰り出したい言葉のひとつです。

×たいへんですね

←

○たいしたことではありませんよ

○は、失敗・ミスなどで落ち込んでいる人を慰めるフレーズ。本人は「大きな悩み」と思っていても、傍目には「たいした話ではない」ということはよくあるもの。まずは、○のように声をかけてから、相談に乗り、励ますといいでしょう。

×最悪ですね

←

○かえってよかったのかもしれませんよ

○は、失敗などで事態が悪化したようでも、長い目でみると、「かえってよかったかもしれない」という意味の言葉。たとえば、「今回の失敗は、組織改革のきっかけになるかもしれません。長い目でみれば、かえってよかったかもしれませんよ」のように使います。×は、事態が悪化したとき、反射的に口を突く言葉ですが、現状を悲観するだけでは思考停止に陥ってしまいます。

大切なのは「心に響く言葉」を使うこと

×すこし休んだらどうですか?

↓

○神様が休憩しろと言ってるんですよ

○は、体調不良などで、仕事をしばらく休むことになった人にかける定番句。×よりは、○を使ったほうが、相手が「それもそうかな」と思う確率は高まるでしょう。「今は神様が休憩しろと言ってるんですよ。ゆっくりお休みください」のように使います。

×不便でしょう

↓

○不自由なさっているんじゃないですか

○は、日常の便利さや快適さが失われている人にかけるフレーズ。「お一人になって、不自由なさっているんじゃないですか」「まだ災害の影響が残っていて、不自由なさっているんじゃないですか」のように使います。単に「不便でしょう」と言うよりも、丁重かつやさしく聞こえる言葉。

△残念でしたね
↓
○あと一歩でしたね

○は、勝負事、スポーツ、受験などで敗れた人を慰めるフレーズ。とりわけ、惜敗した人にとっては、「あと一歩（＝小差だった）」と認められることが、多少なりとも救いになるもの。単に「残念でしたね」というより、「あと一歩でしたね。次は、大丈夫ですよ」のように言えば、相手の気持ちを癒すことができるでしょう。

×わかりますよ
↓
○お察しいたします

相手の愚痴やぼやきに対して、「わかりますよ」は安易すぎるセリフ。「おまえに何がわかる！」とムっとされかねません。一方、「お察しいたします」は、共感をより丁寧に表す表現。丁寧な分、「わかりますよ」ほどには反発を買わないでしょう。「ご胸中、お察しいたします」などと言えば、「いたす」が謙譲語なので敬意を込めながら、共感を表すことができます。

×世間はすぐに忘れてしまいますよ

↓

○人の噂も七十五日ですよ

心ない噂を立てられて、つらい思いをしている人を励ますさい、×のように言っても、相手は「根拠がある言葉」とは思わないでしょう。一方、○のように、ことわざの力を借りると、多少は根拠がありそうに聞こえるもの。「人の噂も七十五日ですよ。世間は忘れっぽいので、すこしの我慢ですよ」のように使います。

×私なら、こうしたと思います

↓
○私が○○さんだったら、同じようにしたと思います

○は、失敗した相手を慰め、共感を示すフレーズ。相手の不運な状況に対して、共感と同情を表せます。×のように、賢しらに意見するよりも、よほど相手の心に響くはずです。

スランプの人を励ますならこんなフレーズ

×自信を持って！

↓
○根拠がない自信だっていいと思いますよ

自信がないと言っている人に、「自信を持って！」とハッパをかけても、自信を持たせることはできないでしょう。そこで、自信を抱かせるような説得材料が見当たらない場合には、○のように言うのが得策。自信喪失している人を元気づける一言です。

×そんな卑下しないで

↓

○自分の欠点がわかっているのは、すごいことですよ

「私なんか、だめ」「どうせ私なんか」と、自己否定の言葉を口にしている人に、×のように言っても、励ましにはならないでしょう。一方、○のように言えば、多少なりとも元気づけられるかもしれません。「自分のダメなところが、わかっているなんて、それだけですごいことですよ」のように使います。

×どうやら、壁にぶつかったようですね

↓

○壁にぶつかるというのは、力をつけた証拠ですね

○は、スランプの渦中にある人にかける言葉。「壁にぶつかるというのは、そこに壁があるとわかるようになった証拠ですよ」のようにも使えます。

×打つ手がないようですね

○打つ手はまだいろいろあるはずですよ ←

「もうダメだ」などと意気消沈している人に、×のように声をかけても、共感を表したことにはなりません。一方、○は、そういう状況にある人を元気づける一言。ただし、このセリフを使うときには、「打つ手はまだいろいろあるはずですよ、たとえば…」のように、一案くらいは提案したいところ。

結果を出せなかった人を慰める技術

□ベストを尽くした人を誰も責められませんよ

がんばったものの、結果を出せなかった人を慰め、励ますフレーズ。こう言葉をかければ、相手は「努力ぶりを見てくれていたんだ」と気づき、落ち込みから立ち直るきっかけになるかもしれません。

□世の中、悪いことばかりじゃありませんよ

失敗や負け、トラブルなどで、気落ちしている相手にかける言葉。「世の中、悪いことばかりじゃありませんよ。次は大丈夫ですよ」などと言えば、相手の気持ちをポジティブにさせられるかもしれません。

□あそこまで粘ったのは、○○さんだけですよ

不首尾に終わったものの、相手の奮闘努力ぶりを認める一言。相手は、自分ががんばったことを知る人がいることで、多少は報われた気持ちになるはず。「あの海千山千の社長を相手に、あそこまで粘ったのは○○さんだけですよ」などと、相手をねぎらうセリフです。

□そのうち、いいこともありますよ

不運や失敗で、気落ちしている人にかける言葉。おおむね、すこし気落ちしているレベルの相手にかける慰めの言葉です。「今回は、残念でしたね。そのうちいいこともありますよ」などと使います。

沈んでいる人の気持ちを上げる言葉の一工夫

□時間が解決することもありますよ

何かの理由で、今は、落ち込んでいる人を励ますフレーズ。「明日は、もっと楽になりますよ」という言い方もあります。

□肩の力を抜いていきましょう

緊張している人、あがっている人を落ちつかせるフレーズ。「そんなに固くなることはありませんよ。肩の力を抜いていきましょう」などと使います。また、妙に入れ込んでいる人に対しても使うことができます。「リラックス、リラックス、肩の力を抜いていきましょう」というように。

□考え過ぎですよ

物事に対して、慎重になり過ぎている人を勇気づけるフレーズ。「思い過ごしですよ」

も、同様の場面で使える言葉です。

失敗して落ち込んでいる相手を励ますコツ

□失敗は誰にでもありますよ

失敗して、しょげている人を慰める基本フレーズ。それくらいのことで、くよくよしないで、元気を出しましょう――という意味を含んでいます。

□気持ちを切り替えて、がんばりましょう

ミスをして落ち込んでいる人に、前を向くようにうながす言葉。「起こったことは仕方がありません。気持ちを切り替えて、がんばりましょう」「失敗は誰にでもあります。気持ちを切り替えて、がんばりましょう」のように使います。

□すんでしまったことは仕方ありませんよ。次から気をつけてくださいね

ミスをした人の謝罪にやさしく応じながら、今後の注意をうながすセリフ。たとえば、部下がミスをしたとき、ただ叱るだけでは、反発を買ったり、萎縮させたりしかねません。そこで、このセリフを繰り出せば、相手の気持ちを軽くしながら、今回の失敗を今後に生かそうという気持ちを伝えることができます。

□気にするほどのことじゃありませんよ

失敗やトラブルで、落ち込んでいる人を慰めるフレーズ。たとえば、上司に叱られて、しょげている人に、こう声をかければ、相手が気持ちを切り換えるきっかけになるかもしれません。「気に病むことはないですよ」も同様に使え、「世の中、いろいろな人がいます。何を言われても、気に病むことはありませんよ」のように用います。

□誰もが経験していることですよ

誰もが同じような失敗をしてきたと伝えて、相手の気持ちを楽にさせるフレーズ。「私も同じような失敗をしましたよ」や「私も前にやったので気をつけてね」も、同様に使えるセリフです。

□世間は、人のことなんか、気にしていませんよ

「みっともない真似をした」と、世間体を気に病んでいる人にかけるメッセージ。「みんな自分のことで精一杯。人のことなんか、目に入っていませんよ」などと使います。

□どうしました？　元気ないじゃない

親しい人に対しては、こんな言い方もしてもいいでしょう。「どうした？　そんな暗い顔して。元気ないじゃない」などと使います。

敗れた相手に寄り添う気持ちの伝え方

□今回は、相手が手ごわすぎましたね

敗者を慰める言葉。今回、敗れたのは相手が強すぎたからで、君が弱かったからではないという意味。「今回は、相手が手ごわすぎましたね。○○さんの力なら、次は楽勝ですよ」などと使います。

□今回は、○○さんのいいところが出なかっただけですよ

これも、何かで敗れたり、失敗したりして、落ち込んでいる人にかける言葉。「今回は、○○さんのいいところが出なかっただけですよ。次は大丈夫ですよ」など。

□がんばった○○さんを誇りに思いますよ

がんばったものの、結果が出なかった人に対して、「残念でしたね」と慰めても、相手の心に「刺さる」ことはないでしょう。一方、見出しのフレーズのように言えば、相手の心に長く残るフレーズになる可能性もあります。

□思い切ってぶつかっていったと思いますよ

強敵に敗れた人にかける一言。勝負事に負けた人だけでなく、目上に意見したり、反対したりした人に対しても使えます。「社長に反対するとは。思い切ってぶつかっていったと思いますよ」などと使います。

失敗をポジティブに受け止める方法

□失敗したから、また成長できますね

失敗やミスを成長材料ととらえ、経験に学べばより成長できると、落ち込んでいる人を元気づける言葉。「いい勉強になりましたね」も同様に使えるフレーズ。

□ご活躍の場は、もっと他にもありますよ

会社をクビになったり、左遷された人を慰め、励ます言葉。「○○さんの能力を考えれば、今の職場や部署に固執する必要はない」という意味を含み、相手に気分新たに再出発することをうながすフレーズです。

□不幸中の幸いですよ

事故に遭ったり、災難に見舞われたものの、致命的ではなかった人にかける言葉。「大事に至らなくてよかったですね」も同様に使うことができます。

□次、行きましょう、次々！

失敗や敗戦などで、しょげている仲間やメンバーを元気づける一言。「これで終わりじゃありませんよ。次、行きましょう、次々！」のように使えます。

遠回りすることになった人を元気づける言葉

□人生80年もあるんですから

何かで挫折して、遠回りすることになった人を励ます一言。たとえば、受験・就職浪人することになった若者に対して、「1年や2年の遅れなんて、気にすることありませんよ。人生80年もあるんですから」のように使います。

□〇〇だけが人生じゃありませんよ

何かで挫折した人に対して、他のことに目を向けさせるフレーズ。たとえば、スポーツの道に進むことをあきらめた人に対して、「サッカーばかりが、人生じゃありませんよ」のように使います。

□まだお若いのですから

何かで挫折した若者を慰めるフレーズ。まだ若いのだから、やり直しのチャンスはいくらでもあるという意味を込めたセリフです。「そんなに落ち込まないで。まだお若いのですから、何度でもやり直しがききますよ」のように使います。

□急がば回れですよ

他の人よりも遅れて、焦っている人を落ちつかせるフレーズ。着実に学び、努力している者が、最後は伸びたり、認められたりするという意味を込めて使います。

自信喪失した人をもう一度立ち上がらせるには?

□自信をもってやれば、いいだけですよ

本番を前にして、自信がなさそうな人、プレッシャーのかかっている人、あがってい

る人などを元気づけたり、平常心に戻すフレーズ。「実力はあるんですから、あとは自信をもってやれば、いいだけですよ」「十分に練習したんですから、あとは自信をもってやれば、いいだけですよ」などと使います。

□○○さんにいちばん足りないのは、自信ですよ

自己評価が低く、卑下しがちな人にかける言葉。単に「自信を持て」というよりも、相手の胸に響くことでしょう。「○○さんに足りないのは、努力ではなく、自信ですよ」などと用います。

□才能のあるなしなんて、今わかることじゃありませんよ

「私には才能がない」と、自信をなくしている人にかける言葉。ネガティブ思考に陥っている人に、「そんなことありませんよ。○○さんには才能がありますよ」などと根拠なく励ましても、効果は薄いでしょう。それよりも、この言葉のほうが心に届くはず。「○○さんに不足しているものがあるとすれば、自分を信じる力かもしれませんよ」も、同様の場面で使える言葉です。

人間関係で悩んでいる人にかけるやさしい一言

□きっと、〇〇さんの思いは伝わりますよ

「理解されない」「誤解されている」と人間関係に悩んでいる人をやさしく勇気づける一言。「〇〇さんの誠意はきっと通じると思いますよ」も同様に使えるフレーズで、「今、相手は感情的になっているけど、時間がたてば、〇〇さんの誠意はきっと通じると思うよ」のように使います。

□うまくいかないからこそ、人付き合いは面白いんですよ

人間関係の悩みを抱えている人にかけるフレーズ。ときには、こんな根拠の薄い能天気な言葉が、相手を元気づけるものです。

□期待されているからですよ

上司や目上に叱られた人を慰める定番フレーズ。「叱られるのは、期待されているるからですよ。怒られているうちが花ですよ」「憎いからじゃありません。期待されているから、叱られるんですよ」などと使います。

□仕事はできる人に回ってくるものですよ

「自分ばかり、面倒な仕事を押しつけられる」と愚痴る相手を元気づけるフレーズ。相手は「できる人」と認められることで、多少はポジティブな気分になることでしょう。

悪口を言われてしょげている人へのやさしい一言

□言いたい人には言わせておきましょう

悪い評判を立てられ、悩んでいる人にかける一言。言外に「自分は、そんな悪評を信じていない」という意味を含み、「無責任な噂話を好む人を気にしても始まらない」と励ます言葉です。「言いたい人には言わせておきましょうよ。誰も信じたりはしていませんから」のように使います。

□面と向かって言えないから、陰口を叩くんですよ

陰口を言う人を見下すことで、言われている人を元気づけるフレーズ。「正々堂々と言えないから、陰口を叩くんですよ」のようにも言えます。

□気にしない、気にしない

陰口や悪口を言われて落ち込んでいる人には、こんなカジュアルな言葉をかけてもいいでしょう。「(陰口なんか)気にしない、気にしない。わかる人はわかるから」など。

第三者を悪者にする〝やさしさ戦略〟

□とにかく、相手がよくありませんよ

難癖や筋違いの要求を突きつけられ、困っている人に共感し、励ますフレーズ。この言葉は言外に「○○さんが悪くないことは、ちゃんとわかっています」というニュアンスを含みます。「悪いのはあちらですよ」も同様に使え、「悪いのはあちらですよ。ご自分を責めることはありませんよ」のように用います。

□世の中には、いろいろな人がいるものですよ

特定の人ともめたり、うまくいかなくて、悩んでいる人を慰めるフレーズ。「世の中、いろいろな人がいるものですよ。あまり悩まないことですよ」のように使います。

□すべての人に好かれるなんて無理ですよ

折り合いの悪い人がいて、悩んでいる人の気持ちを癒す一言。「全員と仲良くするなんて無理ですよ」「人間一人ひとり違うのですから、うまくいかない人がいるのも当たり前ですよ」も、同様の場面で使えます。

□好きになれない人もいるものですよ

これも、特定の人と折り合いが悪く、ストレスを抱えている人を癒すフレーズ。「世の中、好きになれない人もいるものですよ。礼儀だけは失しないようにして、距離をとって、つきあえばいいんじゃないですか」などと用います。

2 この共感する一言を言えるのが大人です……共感する

相手の話を真正面から受け止める

×近々、話を聞くよ

↓

○今から、おいで

○は、夜半に電話をかけてくるなど、悩みを抱えている人にかける一言。「今からおいで。朝まで話を聞くよ」とでも言えば、相手にとっては「あのとき、助けてくれた」と生涯忘れない思い出の夜になることもあります。

×いいんですよ

↓

○いいんですよ。私は○○さんの話を聞くのが好きですから

○は、相手が「自分ばかりしゃべって、すみません」とエクスキューズしてきたときに、やさしく応じるセリフ。相手が「今日は、愚痴ばかりですみません」と言うときにも、このフレーズを返すことができます。

×私でよければ、話を聞きますよ

↓

○私でよければ、いつでも話を聞きますよ

○は、「いつでも」という言葉を足して、つねに力になるという安心感を与える言葉。どんなときでも話を聞くという姿勢を表すことで、変わらぬ応援者であることを示すフレーズです。「いつでも連絡してください。すぐに時間をつくりますから」のようにも使えるフレーズです。

×話してスッとしたでしょう
↓
○話してくれてありがとう

○は、悩みを打ち明けてくれた人を癒す言葉。「話してくれてありがとう。それは大変だったね。どうすればいいか、二人で考えてみよう」などと使います。一方、×のように言うと、恩きせがましく聞こえます。

この共感するやさしい一言が言えますか

□○○さんが怒るのも、無理ありませんよ

相手の怒りに共感を表すフレーズ。「そんなことがあったとは。○○さんが怒るのも、無理ありませんよ」など。このパターンは、怒り以外の感情に対しても使えます。「○○さんがやる気をなくすのも、無理ないですよ」「○○さんが失望するのも、無理ありませんよ」のように。

□こういうときは、思い切り泣けばいいんですよ

泣いている人をやさしく慰めるフレーズ。人前で涙を流した人は、恥ずかしく思うものですが、そういう人にこのセリフを使えば、相手の心に残る言葉になるかもしれません。また、深い悲しみに沈んでいる人には、「涙が涸(か)れれば、いいこともありますよ」という言い方もあります。

□そう考えるのも当然だと思います

相手の考えや結論に同感するフレーズ。とくに、相手が「私の言ってること、おかしいかな」のように尋ねてきたときには、こう肯定しておくのが無難。否定したり、下手にアドバイスしたりしようとすると、反発を買ったり、相手を傷つけたりする原因になりやすいものです。

□痛いほど、わかります

相手の言葉に、強く共感するフレーズ。「おっしゃるお気持ちは、痛いほど、わかります」など。ただ、「わかります」という言葉は、「おまえに何がわかる！」と受け止め

られるリスクを含むので、少なくとも目上に対しては使わないほうがいいでしょう。

□がっかりですね

残念がる相手に、同情を表すフレーズ。「さぞ、がっかりされたことでしょうね」など。「それは、悔しいですね」も同様に使えるセリフです。

□お寂しいでしょうね

家族の人数が減った人にかける慰めの言葉。家族を亡くしたり、子どもが巣立ったりした人に対して使います。「息子さんが独立されたとか。お寂しいでしょうね」などと使います。

□とても人ごととは思えません

事故や災難に見舞われた人に、同情するフレーズ。「私にも子どもがいるものですから、とても人ごとのように思えません」のように使います。

苦境にある人に、まず伝えておくべきこととは？

□そんなに一人で頑張らなくてもいいと思いますよ

自分一人で、仕事を抱え込んでいる人の気持ちを軽くする言葉。責任感の強い人ほど、自分一人で処理しようとして、余裕を失いがちになるもの。そんなときにこの言葉をかければ、相手は仲間がいると気づき、気持ちが楽になるはず。

□つらいときは、つらいと言えばいいですよ

自分一人で問題を抱えるなどして、メンタル面で不調を来(きた)している人にかける言葉。相手がこの言葉に反応して、「じつは…」と話しはじめれば、悩みを解消する糸口になるかも。

□窮地に追い込まれたときの○○さんは強いよね

苦境にある人の承認欲求を満たし、元気づけるフレーズ。また、苦境から脱した人に対して、相手の打たれ強さ、底力を評価するときに使うこともできます。

□それはさぞお困りでしょう

苦しい事情を打ち明けられたとき、同情を示す一言。このセリフで、まずは同情を示すことで、「自分は〇〇さんの味方」と伝えることができます。

□ご不運なことでしたね

不可抗力の災難に見舞われた人に同情を表すフレーズ。「もらい事故とは、ご不運なことでしたね」のように使います。

□私には、わかっていますよ

相手のがんばり、奮闘ぶりを承知し、評価していることを表すセリフ。たとえば、相手が自分の責任ではないことで窮地に陥っているときに、こう声をかければ、勇気づけることができます。「わかる人はわかっていますよ」「世間はよく見ているものですよ」も同様に使えるフレーズ。

3 〝思いやり〟のある人が実践する言葉の気づかい……気づかう

相手の体調を気づかうやさしい言い換え

×では

↓

○では、お風邪など召しませんように

人と別れるとき、「では」の一言で立ち去るよりも、○のように相手の体調を気づかう言葉を続けると、やさしい別れの言葉になります。とりわけ、○は、冬場や季節の変わり目に使うとしっくりくる言葉。「悪い風邪が流行っているようです。お風邪など召しませんように」「寒い日が続いています。お風邪など召しませんように」のように使います。

△体に悪いですよ
↓
○体に毒ですよ

○は、相手の体調を気づかい、行動などをいさめるフレーズ。「そんなに飲むと、体に毒ですよ」「そんなにイライラすると、体に毒ですよ」のように使います。

×今日はもう帰ったら
↓
○あとは私がやりますので

一緒に仕事をしている人の体調が悪そうと感じたとき、×はやや冷たく聞こえる言葉。○を使って、「あとは私がやりますので、今日はどうぞお帰りになってください」のように言葉をかけたいもの。そうして、帰ることになった相手には、「よくお休みになってください」や「お大事にしてください」と声をかけて見送ります。

×そうですか

↓

○それはいけませんね

相手が体調不良などについて話したとき、×は冷たく聞こえるあいづち。「血糖値や血圧が高い」などという相手には、○を使って「それはいけませんね。ご無理をなさいませんように」のように返すのが、大人の物言い。「風邪をひいた」という相手にも、「それはいけませんね。お大事に」のように使えます。

×白髪が増えられましたね

↓

○白髪が増えられましたね。ご苦労が多いのかしら

単に、×のように言うのではなく、○のように「ご苦労が多いのかしら」と言い足すと、比較的やさしく聞こえる言葉になります。他に、相手が痩せていたときには、「少し痩せられていましたね。ご苦労が多いのかしら」のように用います。

「大丈夫ですか」を大人っぽく言い換える

△大丈夫ですか？
↓
○お疲れになりましたでしょう

○は、遠方からのお客や、長い会議を終えたばかりの人など、疲れていると思える人をねぎらう言葉。とりわけ、年配者や目上にかけたいフレーズです。

△大丈夫ですか？
↓
○お風邪ですか？

「大丈夫ですか？」は、相手の様子を気づかう基本フレーズですが、今は濫用されているので、やさしい言葉には聞こえません。相手がセキをしたり、鼻水をすすったりしたときには、○のように尋ねたほうが、やさしく聞こえます。

×奥さん、大丈夫ですか？

↓

○奥さんのご様子、その後、いかがですか？

相手の家族の様子や病状を尋ねるとき、×はいささかぶしつけな聞き方。「奥さんのご様子」や「その後、いかがですか？」という直接的ではない表現を使ったほうが、大人度の高い気づかいを感じさせる言葉に聞こえます。

相手の体調をいたわるやさしいセリフ

□どうぞ、お体をおいといください

相手の体調を気づかう決まり文句。メール文の締めくくりにも、よく使われる表現です。「くれぐれも、お体をおいといくださいませ」「どうぞ、御身おいといくださいませ」「くれぐれも御身お大切に」も、同様に使うことができます。

□ご無理は禁物です

働き過ぎている人や、体調が悪そうな人にかけるいたわりの言葉。「どうぞ、無理はなさらないでください」も同様に使えるフレーズです。

□お疲れになるといけないので

病人を見舞ったり、高齢者や妊婦を訪ねたとき、早々に引き上げる理由として使うフレーズ。実際、長居すると、相手を疲れさせてしまうもの。「お疲れになるといけないので、そろそろ失礼します」などと用います。

□日頃の疲れを十分にお癒しください

温泉旅行などに出かける人への一言。もちろん、そういうお客を迎える宿泊業の人も、このセリフを使うもの。「お待ち申し上げておりました。日頃の疲れを十分にお癒しください」のように使います。

□ご養生専一に願います

「ご養生専一」は、仕事などを気にすることなく、まずは体の回復を第一にするという意味。「ご養生専一に願います」は、手紙文などで使う決まり文句で、「しばらくはお仕事のことは忘れて、ご養生専一に願います」など。

□入院されたとお聞きして、たいへん驚いております

入院中の人、最近、入院していたという人と出会ったときの一言。「おケガでご入院されたとのこと、心よりお見舞い申し上げます」など、メール文でも使えます。

□無事に手術を終えられたとお聞きし、安堵いたしました

入院した人のなかでも、手術を受けた人に対するフレーズ。入院中の人にも、すでに退院した人にも使うことができます。

□順調なご回復で安心いたしました

入院中の相手を見舞ったさい、相手が順調に回復しているときにかける言葉。よりカジュアルに言うと、「顔色がよろしくて、安心いたしました」。

□ご養生のかいがございましたね

病気が全快した人、退院した人に対するフレーズ。「全快されたとか。ご養生のかいがありましたね」などと使います。

□ご入院なさってたそうですね。もうすっかりいいんですか

知人が入院していたことを退院後に知ったときのセリフ。「もうすっかりいいんですか」と続けることで、「元気そうで安心した」という意味を含ませることができます。

災難、不幸に遭った人を気づかうやさしいセリフ

□お宅のほうはいかがでしたか

大雨、大雪、地震などに見舞われたさい、相手を気づかうセリフ。「私どものほうは大雪になりましたが、お宅のほうではいかがでしたか」「こちらは、けっこう揺れましたが、お宅のほうはいかがでしたか」のように使います。

□ご無事で何よりです

危険な目に遭った人が無事だったときにかける言葉。「何はともあれ、ご無事で何よりです」などと使います。

□落ちつかれましたか

災難や不幸などに見舞われた人に、落ちついた頃合いを見計らってかけるねぎらいの言葉。「その後、少しは落ちつかれましたか」のように使います。

Step 5

結局、人間関係は〝思いやり〟でできている

How to effectively convey what you want to say

こんな一言があると、毎日が楽しい……頼む・頼まれる

人の心に届く頼み方、頼まれ方

×手伝いますよ

↓

○お手伝いします。二人でやったほうが早く終わりますよ

人に手伝いを申し出るときは、恩着せがましくない言い方を心がけたいもの。×のように言うと、恩着せがましくも聞こえ、遠慮する人も多くなるでしょう。○のように言って、さっさと作業をはじめてしまえば、「やさしい人」と思われるはず。

×行けますよ

↓

○喜んで、ご一緒させていただきます

人からの誘いに応じざるをえないときは、○のように答えたいもの。×のように答えるよりも、「喜んで…」ということで、誘った人を満足させることができます。

×これ頼んでもいい？

↓

○仕事の早い○○さんに、これ頼んでもいい？

仕事を頼むときは、○や「達人の△△さんにお願いしたいんだけど」のように頼めば、相手の承認欲求を満たしながら、頼むことができます。一方、避けたいのは、「誰でもできる作業なんだけど」や「これなら、できるでしょ」といった相手の能力を見くびった言い方。

×いいですよ

↓

○私も、話相手が欲しかったところです

○は、「ちょっと、お話ししてもよろしいでしょうか？」などと、雑談をもちかけられたときに応じるフレーズ。単に「いいですよ」と答えるよりも、○のように答えれば、やさしい人と思われるはず。

人を手伝うときに見え隠れする「やさしさ」とは？

□体力だけは自信あるので

これは、力仕事を手伝うときの定番のセリフ。「体力だけは自信あるので、力仕事があるときは、いつでも声をかけてください！」と言っておけば、頼もしい人と思われるはず。

□私、こういうの得意なんですよ

手伝いを申し出ると、遠慮する人もいるでしょうが、「私、こういうの得意なんですよ」と言えば、すんなり手伝えます。たとえば、梱包作業を手伝うとき、「学生時代、こういうバイトしていたので得意なんです」というように言えば、相手に心理的負担をかけることなく、援助を申し出ることができます。

やさしく聞こえる依頼の基本フレーズ

□こういうことは、他の人にまかせられなくて

仕事を頼むとき、相手の能力を持ち上げるのは、気持ちよく引き受けてもらうための基本戦術。これは、そのための基本フレーズ。「この仕事は、○○さんにしか、お願いできないので」も同様に使えるセリフです。

□手伝ってもらえると助かるんだけど

部下や年下の人に対しても、「これ、やっといてよ」というぞんざいな言い方はNG。こんな頼まれ方をされて、いい気持ちになる人はいません。とりわけ昨今は、相手が部下でも、依頼するときには〝お願いする〟姿勢を表すことが必要になっています。「手伝ってくれると助かるんだけど、お願いできる？」と依頼形で〝命令〟すれば、やさし

い上司と思われるはず。

□私一人では心もとなくて

手助けや援助を依頼する一言。たとえば、相手に同行してもらいたいときには、「私一人では心もとないので、ご同道いただければ、うれしいのですが」のように使います。

□…していただけると有難いのですが

さまざまな依頼に使える基本フレーズ。「有難いのですが」を「うれしいのですが」に変えることもできます。「30分ほど、お手伝いいただけると、うれしいのですが」のように。

□ぶしつけなお願いで恐縮ですが

「ぶしつけなお願い」と自ら認め、恐縮する姿勢を表しながら、依頼するフレーズ。同様の場面では、「まことに勝手なお願いで、恐縮しております」と言うこともできます。

□勝手を言って、申し訳ありません

「勝手」という言葉でエクスキューズしながら、多少、無理筋なことを頼むためのフレーズ。今は、とくに無理ではない頼みごとに関しても、社交辞令的に使われています。

□お使いだてして申し訳ありませんが

労力や時間を割いてもらう相手に、申し訳なく思う気持ちを伝えながら、依頼するフレーズ。「お使いだてして申し訳ありませんが、○○をご用意いただけないでしょうか」などと使います。

□ご検討いただけませんか

こちらからの提案を検討してもらうためのフレーズ。「考えてもらえませんか」よりは、改まった印象を与えることができます。「プランを2つご用意いたしましたので、ご検討いただければ幸いに存じます」など。

感じのいい人は、気持ちよく引き受ける

□他ならぬ○○さんからのお話ですから

相手の顔を立てながら、依頼を引き受けるフレーズ。他の人が頼んできても、イエスというわけではないが、「○○さんの頼みだからこそ、引き受ける」という意味で、相手のプライドを満たしながら、引き受けることができます。

□私でお役に立つことでしたら

相手からの依頼を、謙遜をまじえながら引き受けるフレーズ。「私でお役に立つことでしたら、お引き受けしますよ」などと使います。

□私でよければ、喜んで

たとえば、仕事を頼まれたとき、「いいですよ」と答えると、ぶっきらぼうにも聞こえます。どうせ引き受けるのなら、「私でよければ、喜んで」と応じると、感じのよい

返事に聞こえます。一方、「やってもいいですよ」や「行ってもいいですよ」は感じの悪い返事の代表格。

□お安いご用でございます

顧客などからの依頼を快く引き受けるフレーズ。多少面倒な仕事でも、ただ引き受けるのではなく、「お安いご用です」と言って快く引き受ければ、相手を尊重している気持ちを表すことができます。

□願ってもないお話です

相手からの提案、申し出を快く承諾するフレーズ。「願ってもないお話です。喜んでお引受けいたします」のように使います。内心では「面倒な話」と思っている場合でも、受けざるをえないときには、こう言っておくのが得策。

□はい、なんなりとご遠慮なく

「ちょっと、お願いがあるのですが」と言われたときに応じるフレーズ。とくに、接客には欠かせないフレーズです。

□何でも遠慮なく聞いてください

相手に「質問してもよろしいですか」と言われたときに、やさしく返すフレーズ。「何でも」「遠慮なく」ということで、相手に安心感を与えられます。たとえば、新入社員や転職者を迎えたときには、「知っていることは何でもお話ししますので、遠慮なく聞いてください」のように使います。

□○○さんの熱意に負けました

交渉で譲歩したり、相手が売り込んできた商品を購入するときなどに使うフレーズ。相手の熱心な交渉ぶり、セールスぶりを評価することができます。「○○さんの熱意に負けました。今回はお譲りしましょう」などと使います。

2 ポジティブな声がけが、いいつながりをつくる……感謝する・ほめる

感謝の気持ちを丁寧に伝える大事なやりとり

□ご親切が身にしみます

相手の親切に対して、感謝の気持ちを伝える言葉。「この度は何から何までお世話になり、皆様のご親切が身にしみます」など。「ご親切は忘れません」も、同様の場面で使えるフレーズです。

□おかげさまで助かりました

相手の手助けや援助に対するお礼の言葉。「おかげさまで」ということで、感謝の気

持ちを過不足なく表せます。より丁寧に言うと、「おかげさまをもちまして、助かりました」。

□このたびは、ひとかたならぬ、お世話になり…

相手の手助け、援助に対して、感謝の気持ちを表す改まった言葉。おもに、目上や取引先に対して使います。「このたびは、ひとかたならぬ、お世話になり、感謝の気持ちでいっぱいです」など。

□いつもお心にかけていただき恐縮です

これまでも世話になっている人に対する感謝のフレーズ。折にふれて手紙やメールをくれたり、中元・歳暮などを送ってくれる人など、たびたび世話になっている人に対して使います。

□珍しいものをありがとうございます

相手から変わった品をもらったときは、「珍しいもの」と言うことで、その品の価値を理解していることを表せます。「これは、珍しいものをありがとうございます」など。

□まことに過分なお志をいただきまして

寄付や餞別など、お金をもらったときのお礼の基本フレーズ。「まことに過分なお志をいただきまして、恐縮しております」など。

□これ、ずっと、ほしかったんです

プレゼントをくれた人に感謝する定番句。「これ、ずっと、ほしかったんですよ。早速使わせていただきます」「これ、前から、ほしかったんです。どうして、私の好きなものをご存じなんですか?」などと使います。

□どうぞ、次回は、手ぶらでおいでください

手土産を持参してくれた人に対して、次回は気をつかうことなく、気軽に訪ねてほしいと告げるフレーズ。「今度、来られるときは、手ぶらでおいでください」など。

□おいしそうですね。一口、いただこうかな

差し入れをもらったときは、たとえ食事直後でも、「おいしそうですね。一口、いただこうかな」と、一口でも二口でも食べるのが大人のマナー。そして「これ、おいしいですね」と付け加えれば、差し入れしてくれた人の気持ちに応えられます。なお、苦手な食べ物で本当に食べられないときには、「ありがとう。今、食べたばかりなので、あとでいただきます」と言っておけば、角が立ちません。

□お気持ちはたしかに頂戴いたしました

金品を贈られたものの、受け取るわけにはいかないときのセリフ。「お気持ちはたしかに頂戴いたしました。ただ、どちらさまにもご辞退申し上げていますので…」などと使います。「お気持ちだけ頂いておきます」という簡略な定番フレーズもあります。

「あなたが必要」とやさしくほめる言葉

□○○さんがいないと困ります

会社やチームを辞めそうに見える部下や仲間にかける言葉。こう声をかけられ、「自分は必要とされている」と感じれば、多少は元気になってくれるかも。

□○○さんには、この職場で長く働いてほしいな

これも、会社を辞めそうな人にかける言葉。「長くいてほしい」と言うことで、相手を必要な人材と認めていることを伝えれば、元気づけられるかもしれません。

□彼抜きでは、うちは動きがとれません

部下を直接ほめるのではなく、第三者に対して陰ぼめしておく言葉。この言葉が耳に届いたとき、部下は直接ほめられたとき以上にうれしく思うはず。

相手の話は、どこをどうほめるのが正解？

□メモをとらせてもらってもよろしいですか

相手の話がすばらしく、参考になることを伝えるメッセージ。記憶するため、後々に役立てるために、メモにとっておきたいほど、相手の話の内容がすばらしいという意味。

□お話、心にしみました

相手の話に、感動、共感したことを伝える言葉。とりわけ、講演の講師など、大勢に対して話した人にかけると効果的です。「胸に響きました」や「心に響きました」も、同様に使えるセリフです。

□今日は、ためになる話をたくさん聞かせていただきました

年配の人や先輩の話を聞いたとき、別れ際にかける言葉。相手の話が有益だったという気持ちを伝えられます。「本日は、ためになる話をたくさん聞かせていただき、誠にありがとうございました」などと、頭を下げます。

□○○さんの話は、本当にわかりやすいですね

わかりやすく説明してくれた人へのほめ言葉。相手が話上手で、わかりやすい説明だったと思ったときは、すかさずこうほめたいもの。

祝福しながら、上手にほめるために

□おめでとう、運も実力のうちですよ

成功したときに「運がよかっただけで」と謙遜する人への返しの定番フレーズ。たとえば、「たまたま、運に恵まれただけで」と謙遜する人に、「いえいえ、運も実力のうちですよ」のように使います。

□とうとう夢を叶(かな)えられましたね

新しく店を開いたり、希望していた職に就くなど、念願をかなえた人にかける言葉。「長年の夢が実りましたね」のようにも使えます。

□これから、ますます忙しくなりますね

栄転・昇進した人を祝福するフレーズ。「忙しい」ということで、相手の有能さが必要とされているというニュアンスを込められます。「本社にご栄転と伺いました。これ

から、ますます忙しくなりますね」のように使います。

□認められて、当然だと思います

これも、栄転・昇進した人を祝福し、くすぐるフレーズ。たとえば、「今度、転勤することになりまして」と挨拶に来た人に対して、「それはご栄転ですねえ。○○さんの実力が認められたんですねえ」のようにも使えます。

□遅いくらいだと思います

何かで認められた人、成功した人にかける言葉。たとえば、栄転した人が「私のような者が」と謙遜したときに、「いや、むしろ遅いくらいだと思いますよ」と応じて、相手に十分な能力があると思ってきた気持ちを伝えられます。

□成功しないほうがおかしい、と思っていましたよ

事業などで成功した人を祝福するフレーズ。「○○さんの力をもってすれば、成功しないほうがおかしいと、思っていましたよ」のように使います。

□お幸せですね

おおむね、家族に恵まれた人を祝福するフレーズ。「やさしい旦那さんをお持ちで、お幸せですね」「立派なお子様をお持ちで、お幸せですね」のように用います。

こういう〝ほめポイント〟を見逃してはいけない

□誰にでもできることではありません

相手の自尊心をくすぐるほめ言葉。たとえば、仕事で成果を上げた相手が、「大したことではありません」と謙遜したときには、「いえいえ、誰にでもできることではありませんよ」と応じると、相手の謙遜の壁を突破して、自尊心を満足させることができます。

□さすが、見ているところが違いますね

相手の眼力や知識や経験を評価する言葉。「さすが、目のつけどころが違いますね」

も同様に使えるフレーズです。

□おっしゃられたとおりにしたら、うまくいきました

上司や先輩のアドバイスでうまくいったときには、このセリフを使って報告したいもの。こう言うと、相手の指示の的確さや、その背景にある知識や経験を持ち上げることができます。

□その節はたいへん勉強になりました

前に、話を聞いた人や、注意やアドバイスを受けた人と、再会したときに使う言葉。「たいへん勉強になりました」ということで、相手を持ち上げられます。

□私などには、とうてい真似できません

目上や取引先をほめるときに使えるほめ言葉。「見事な仕事ですね。私などには、とうてい真似できません」のように使います。

Column 4

できるようで意外とできない「ほめ」の技法

□ほめるときは、終わりをほめ言葉で結ぶ

「終わりよければ、すべてよし」と言うのは、ほめ言葉にも当てはまります。

たとえば「君の仕事ぶりには、いつも感心しているよ」と部下をほめたとき、最後に「ただ、一つ言わせてもらうと」などとマイナスの言葉を付け加えると、部下は結局、説教されたような気分になってしまいます。

相手をほめるときは、締めくくりの言葉は、ほめ言葉で終わることが大切。小言を言いたいときは、初めのほうに言っておき、最後はほめ言葉で終わるように話を運びたいもの。

□お世辞は照れずに、堂々と

お世辞を口にするときは、多少の気恥ずかしさが伴うもの。それでも、ヌケヌケとお世辞を貫き通すのが、大人というもの。お世辞は照れずに堂々と言うほど、お世辞ではないように聞こえるものです。

お世辞とはわかっていても、ほめられて機嫌の悪くなる人はいません。少々しらじら

しく聞こえるお世辞でも、相手を気分よくさせるため、堂々と言うことです。

□相手の自慢話は上手に受け止める

上司には、飲み会などで、仕事の武勇伝など、自慢話をはじめる人がいるもの。むろん、酒の席の自慢話はオーバー気味になりがちです。

そんなとき、「本当ですか」や「○○さんから聞いた話とは違いますね」などと疑うような発言はしないこと。「オレのいうことが信じられないのか」と、相手をムッとさせかねません。そこは、「すごいですね」と適当に受け流しておくのが、上司との人間関係を良好に保つコツです。

□相手の得意な話は、知らないふりをするのが大人のやさしさ

自分がよく知っていることは、とかくウンチクを傾けたくなるもの。相手が知識を披露しはじめたときは、たとえ自分のほうが詳しくても、黙って聞くのが、大人のやさしさというものです。たとえば、相手がそこそこワイン通で、「ワインはボルドーだよね」と言ったとき、「私も昔はそう思ってたけど、飲みつづけるとブルゴーニュになるよね」などと返しては、相手は面白くはないでしょう。相手が楽しそうに話していれば、自分は何も知らない顔をして、あいづちを打っておくといいでしょう。

特集3 あたたかい言葉だから、人は動ける

ここで紹介するのは、子どもに対する「やさしいモノの言い方」です。とはいうものの、自尊心を傷つけることなく注意し、自分の頭で考えることを促すという点では、大人相手にも応用可能なはず。とりわけ、部下や若い人に対して応用できる言葉の使い方をまとめました。

1 禁止命令をやさしく言い換える

×やめなさい！→○ママは嫌だな　そろそろ○○してほしいな

大人は、子どもに「命令」しがちですが、子どもは命令され続けると、消極的な性格になっ

てしまいます。なかでも、行動を制限する「禁止型の命令」は、子どもの自主性や思考力を削ぐ言い方です。「やめなさい！」は、「そろそろ○○してほしいな」と言い換えたいもの。

×体重計で遊ばないの！→○他の人に、体重、わかっちゃうよ

体重計に乗ったり下りたりして遊んでいる女の子には、禁止型の命令ではなく、○のように言ったら、どうでしょうか。すぐに下りてくれるはずです。

×よけいなことはしないでいいのよ→○ありがとう、やさしいのね

子どもなりの善意と自発性からしたことを、×のように否定するのはＮＧ。まずは、○のようにポジティブに受け止めたいもの。

×つべこべ言わないの→○あなたはそう思うのね

「口ごたえしない」や「文句を言わない」「言うとおりにしなさい」なども、○のように言い換えることができます。

2 「ダメよ」を上手に言い換える

×ダメ→○そんなことをしてどうかな?

「ダメ」は、禁止型の命令のなかでも、とりわけ頭ごなしになりがちな言葉。「そんなことをしてどうかな」と、問いかけの言葉に言い換えると、善悪を判断する力や思考力を養うことができます。

×乱暴はダメ→○自分がされたらどうかな?

これも、「ダメ!」を避けて、子どもに考えさせるパターンです。

×だから、ダメなのよ!→○間違えちゃったね

×のように言うと、子どもの自己肯定感を低めてしまいます。たとえば、子どもが忘れ物をしたときは、×ではなく、「忘れちゃったかな?」とやさしく言い換えたいもの。

×虫を殺しちゃダメ→○アリさん、生きているね

×のような禁止命令を使うよりも、「アリさん、生きているね。踏んだら痛いよ」のように言うと、子どものやさしい気持ちを育てることができます。

×ウサギをいじめちゃダメ→○動物たちは、みんな友達ね

これも前項と同様で、「ダメ」を使うよりも、○のように言ったほうが、子どもの小さなもの、弱いものへのやさしい気持ちを育む（はぐく）ことができます。

3 子どもに考えさせるやわらかい言い方

×帽子はきちんとかぶりなさい→○帽子はどうかぶったらいいかしら？

命令形ではなく、質問形で問いかけるパターン。子どもが自分の頭で考えるきっかけをつくることができます。

×人の迷惑になるでしょ→○誰かの迷惑になってないかな

×のように叱るよりも、○のように言ったほうが、子どもの判断力を養うことができます。

×どうして黙っているの！→○お母さんがわかるように教えてくれる？

「黙ってちゃ、わからないでしょ！」も×。「お母さん、知りたいな」のように言い換えたいものです。

×あなたが悪いんでしょう→○どうしたらいいかな

「自分のせいでしょ」や「誰が悪いと思っているの」も、○のように言い換えると、善悪を判断する力を育むことができます。

×どうして先にやっておかなかったの！→○次はどこに気をつけていこうか？

×のように、理由を問うかたちで叱っても、子どもは答えることができません。○のように問えば、子どもなりに頭をめぐらせることができるものです。

×また、忘れ物したの！→○忘れ物をなくすには、どうすればいいかな？

「忘れ物ばっかりして!」も、○のように言い換えたいもの。

×どうして、わからないの→○ママがなんて言ったか、思い出してみてくれる?

○も、子どもに自分の頭で考えさせるきっかけになります。

4　命令形をやさしく言い換える

×挨拶はきちんとしなさい→○おはよう

朝の挨拶を教えるなら、×のように命令するよりも、親のほうから「おはよう」と声をかけるのがいちばんです。

×いいかげんにしなさい→○ママ困ってるんだ

子どもには「いいかげんにする」という意味がよくわかりません。「ママ困ってるんだ」といったほうがよく理解できます。

×言いたいことがあるなら、言いなさい！→○話したいこと、ひとつだけ教えてくれる？

子どもには、×のような抽象的な言い方をしても、なかなか通じません。「はっきり言いなさい！」も「もう少し大きい声で話してくれる？」と具体的に言い換えたほうがいいでしょう。

×早くしなさい！→○時計の針が「9」になったら出かけるよ

「早く」は、子どもにとって、理解しにくい形容詞です。「早く着替えなさい」も、「○分までに着替えてね」というほうがベターです。

5 子どもをうながすあたたかい言い方

×誰とでも遊ぶのよ→○違う子と遊ぶのも楽しいよ

○のように言えば、子どもの耳にもポジティブに聞こえます。

×遅い！→○○時までにできるかな

「ぐずぐずしない！」や「間に合わないよ！」も、○のように言い換えたいもの。

×まだ○○してないの!?→○こっちは終わったんだね。次は○○だね

できないことではなく、できたことに目を向けると、子どものやる気を引き出したり、能力を高めることができます。

×ダラダラしてるんじゃない！→○何時までに終われば大丈夫？

「もたもたしてたら、終わらないよ！」も同様に言い換えることができます。

×ぼーっとしてる場合じゃないでしょ！→○今日はあと、何をすればいいんだっけ？

「ボヤっとしてたら間に合わないよ！」も、○のように言い換えたいもの。

6 否定する言葉を言い換える

×あなたには無理！→○まず、○○からやってみようね

子どもの能力や性格を断定的に否定するもの言いはNG。子どもは自己肯定感が低くな

り、一生、劣等感に苛まれることにもなりかねません。「どうせできないんだから！」や「あなたには無理よ！」も、○のように言い換えたいもの。

×なんで、続けられないの！→○第一ステージ、クリアしたね

「まだ、始めたばかりじゃない！」も、○のように言い換えることができます。

×どうして、これしかできないの？→○ここまできたね。じゃあ、残りをがんばろう

「まだ、全部終わってないでしょ！」や「まだ、こんなに残ってるんだからね！」も、○や「半分は終わったね」のように言い換えられます。

×また失敗したのね→○大丈夫よ。気をつけてね

×のような子どもの能力を低くみる言い方はNG。子どもの能力を伸ばす阻害要因になります。

×なんで、こんなことができないの！→○どこが難しかったかな？

「なんで、こんなところで間違えるの!?」も、○のように言い換えるのがベター。

×もう最悪！↓○今回はうまくいかなかったね、残念だったね

「もう最低！」や「もうダメだね」も、○のように言い換えられます。

×小さいころから、ずっとそうだよね！↓○それ、あなたの個性だよね

「困った性格だね！」や「あなたらしいね！」や「あなたって、いつもそうだね！」なども、○のように言い換えたいもの。

×何を描いたのか、わからないね↓○何を描いたのか、教えてくれる？

子どもが自分で描いた絵を見せに来たときは、「否定」以外の言葉で応じたいもの。何を描いたのか、わからない場合でも、「とてもキレイね、この色」や「とてもいいね、この線」と、ほめ方を工夫したいもの。

×また、転んだの↓○大丈夫？　痛いところない？

よく転ぶ子どもに対しても、まずは、やさしく○のように問いかけたいところです。

編者紹介

次世代コミュ力研究会
ギスギスした人間関係は避けたいけれど、他人にあわせるだけで、自分の本当の気持ちを出さないのもやっぱりストレス。適度な距離感で、心地よい人間関係をつくる方法はないものか——。そんなニーズに応えるために結成された。自然体で、共感力の高いコミュニケーションの技法を、実践的なテクニックに落とし込んで公開している。

“思(おも)いやり”をそっと言葉(ことば)にする本(ほん)

2024年4月5日　第1刷

編　　者　次世代(じせだい)コミュ力研究会(りょくけんきゅうかい)

発 行 者　小 澤 源 太 郎

責任編集　株式会社プライム涌光
電話　編集部　03(3203)2850

発 行 所　株式会社青春出版社
東京都新宿区若松町12番1号〒162-0056
振替番号　00190-7-98602
電話　営業部　03(3207)1916

印刷　大日本印刷　製本　ナショナル製本

万一、落丁、乱丁がありました節は、お取りかえします。

ISBN978-4-413-23350-7 C0030